LES DOUCEURS PROVINCIALES

Charles Exbrayat est né en 1906 à Saint-Etienne (Loire). Après le baccalauréat passé à Nice où habitent ses parents, il se prépare sans enthousiasme à devenir médecin mais, exclu de la faculté de Marseille pour chahut notoire, il échappe à l'Ecole de Santé de Lyon et se tourne vers les sciences naturelles à Paris où il enseigne en potassant l'agrégation.

Il fait ses débuts d'auteur dramatique à Genève avec *Aller sans retour*, poursuit sa carrière à Paris *(Cristobal, Annette ou la Chasse aux papillons)* et publie deux romans.

Journaliste après 1945, scénariste (une quinzaine de films), il aborde bientôt le roman policier avec *Elle avait trop de mémoire* (1957).

Vous souvenez-vous de Paco? obtient le Grand Prix du roman d'aventures en 1958. Charles Exbrayat s'est illustré ensuite dans le roman policier, notamment humoristique, avec une réussite constante. Il était directeur du *Club des Masques*.

Charles Exbrayat est décédé en mars 1989.

D0232145

EXBRAYAT

Les Douceurs provinciales

LIBRAIRIE DES CHAMPS-ÉLYSÉES

© Exbrayat, Librairie des Champs-Élysées, 1963.

PRINCIPAUX PERSONNAGES

GUILLAUME. — *Agent des Services Spéciaux.*

Professeur MONTANAY.

MADELEINE. — *Sa femme.*

COLETTE. — *Sa belle-sœur.*

JACQUES LARCAT. — *Physicien.*

MILORAD STEPANIC. — *Physicien.*

HERBERT MORISS. — *Physicien.*

REYNÈS. — *Inspecteur de la S. N.*

ROBERT BUSSONNET. — *Propriétaire de l'Hôtel de Paris.*

OLGA BUSSONNET. — *Sa femme.*

L'histoire se passe à Poitiers.

CHAPITRE PREMIER

En rentrant dans mon petit appartement de la rue Lhomond, sur la rive gauche, j'ai trouvé un pneumatique. Je n'avais nul besoin de l'ouvrir pour savoir ce qu'il contenait. Par contre, il me fallait le décacheter pour connaître à quelle heure M. Dumolard me convoquait.

Le soir même à 22 heures.

N'ignorant pas que M. Dumolard était l'homme des décisions rapides, en attendant le moment de notre rendez-vous, je me mis à préparer ma valise. Une habitude qui m'est familière depuis près de dix ans que j'appartiens aux services spéciaux. Toutefois, ma situation est un peu à part et l'on ne fait appel à moi que dans des cas extrêmement particuliers. Je suis ingénieur électronicien, et j'occupe une place confortable dans une usine, dont le directeur n'a rien à refuser à mon patron, si bien que souvent je voyage sous prétexte d'étudier la marche d'une autre usine en France ou à l'étranger. Ces déplacements ont surtout pour but de ne pas intriguer le personnel par des départs, qui peuvent être fort précipités, de telle sorte que, parmi ces déplacements, nul ne peut établir de différence entre ceux effectués pour le compte de mon employeur que tout le monde connaît et ceux entrepris sur l'ordre de mon autre patron dont tout le monde ignore l'existence.

M. Dumolard habite, dans le quatorzième arrondissement, une petite rue où logent surtout des artistes. Le chef de la section des services spéciaux dont je relève est un vieux garçon, qui passe dans le quartier pour un peintre du dimanche, auquel ses moyens auraient permis d'étendre son inutile activité sur toute la semaine. On sourit en le voyant faire son marché. Qui, parmi ceux-là qui plaisantent, parmi celles-là qui lui sourient un peu apitoyées, pourrait savoir que M. Dumolard est un cerveau de tout premier ordre pour qui l'électronique n'a guère de secret, pas plus d'ailleurs que tout ce qui touche au domaine des fusées et des essais spatiaux ?

En arrivant chez lui, je me trouvai en face d'un vieillard aimable et souriant, dont seule la petite lueur dans l'œil décèle l'intelligence.

— Je suis heureux que vous ayez pu venir tout de suite, Guillaume... Il y a bien longtemps que je vous ai laissé tranquille.

— Près de deux ans.

— C'est vrai... deux ans, déjà.

— Mais j'ai travaillé pour d'autres sections.

— Je sais... je sais. On s'est étonné, au-dessus de nous, que je ne fasse plus appel à vos services. J'ai répondu que les affaires à traiter ne nécessitaient pas le dérangement d'un garçon de votre valeur...

— Merci.

— Et puis aussi que, momentanément, je n'avais plus confiance en vous.

Cela, c'est la manière de M. Dumolard, qui vous assène les vérités les plus désagréables d'une voix douce et tout en vous souriant de la façon la plus amicale qui se puisse souhaiter.

— Je ne vois pas ce qui a pu vous inciter à...

— Si, Guillaume, vous êtes tombé amoureux. Or, pour moi, l'amour et nos tâches sont incompatibles. Avant de vous exposer ce que j'attends de vous, permettez-moi de vous demander : êtes-vous guéri ?

Je tentai de crâner.

— Parce que, pour vous, un homme qui aime est incapable de faire autre chose ?

— Un homme qui aime de la façon dont vous aimiez, Guillaume. Les passades, d'accord. Les liaisons rapides, possible. Un peu comme les matelots qui ne restent à terre que le temps d'une escale. Mais un garçon qui se met à rêver d'un fantôme, un agent qui sombre dans une mélancolie romantique, convenez, Guillaume, que c'est la fin de tout ?

— Sûrement !

— Je répète ma question, petit : êtes-vous guéri, oui ou non ?

— Je crois que oui.

— Ce qui signifie ?

— Que je me suis résigné à ne plus jamais la revoir.

Il m'examina attentivement.

— Pas tout à fait cicatrisée la blessure, hein ?

— Presque.

Il poussa un soupir de déception.

— Je suis navré pour vous, Guillaume Norrey. Vous étiez un de mes agents les plus sûrs... Navré, oui, vraiment. Si je pouvais encore me passer de vous, cette fois, je vous renverrais à votre usine, mais j'ai besoin d'un ingénieur de qualité... Vous prendrez le « Drapeau » demain soir à la gare d'Austerlitz pour vous rendre à Poitiers.

— Ah ?... et qu'est-ce que je serai censé y fabriquer ?

— Vous venez d'être engagé par le professeur René Montanay pour l'aider à mettre la dernière main à ses travaux de recherches sur un carburant solide et d'une puissance énergétique telle qu'en

13

cas de réussite, on pourrait projeter dans le cosmos des fusées de plus en plus lourdes et à des prix de revient beaucoup plus bas qu'actuellement. Le gouvernement s'est réservé la primeur de cette découverte, bien sûr, et pour continuer ses travaux, Montanay a été mis en congé. Il touche de substantiels subsides pour vaquer à ses recherches sans le moindre souci matériel, c'est vous dire l'importance qu'on attache en haut lieu à ses recherches ultra-secrètes...

— Je ne vois guère en quoi ma présence à Poitiers...

— Doucement, Guillaume, doucement. Lors de sa dernière visite à Paris, le professeur s'est dit quelque peu fatigué et souhaiterait avoir à ses côtés, pour les ultimes étapes, quelqu'un susceptible de l'aider sérieusement, voire de le suppléer en cas de défaillance.

— Et c'est moi... ?

— C'est vous.

— Voyons, monsieur, le professeur Montanay n'est sûrement pas seul dans son laboratoire ?

— Evidemment non. Il a pour assistant un jeune docteur ès sciences Jacques Larcat qui est aussi le fiancé de sa non moins jeune belle-sœur, et en qui il a toute confiance, mais qui n'est pas encore assez mûr. Deux techniciens — Herbert Moriss et Milorad Stepanic — travaillent également dans le laboratoire où ils préparent leurs thèses mais ils ne s'occupent pas des travaux personnels du professeur. Nous n'avons pas voulu que Montanay se sépare de ces jeunes gens, de crainte d'éveiller des curiosités inutiles.

— Et alors ?

— Quoi ?

— Ces explications ne me font toujours pas comprendre pour quelles raisons vous avez décidé de m'expédier là-bas ?

— Parce que les recherches de Montanay sont beaucoup moins secrètes qu'il ne se l'imagine.

— Nous y voilà !

— Nous y voilà, en effet, Guillaume. Nos agents de Prague, de Londres, de Varsovie ont eu entre les mains des copies des travaux du professeur Montanay. Heureusement, dans ce genre de recherche, ce sont les ultimes expériences qui comptent. Les intermédiaires qui offraient ces dossiers se montraient fort gourmands. Nous aurions pu acheter mais nous n'aimons pas à payer deux fois. Nous préférons et de beaucoup, mettre la main sur celui qui, près de Montanay, se constitue de très jolis bénéfices en vendant les travaux du professeur. A moins...

— A moins ?

— ... à moins que ce ne soit le professeur lui-même qui essaie de nous rouler.

— Vous n'avez pas pris de renseignements sur lui ?

— Allons, Guillaume, nous ne sommes pas des enfants ! Jusqu'à ces dernières années, Montanay a été irréprochable mais, il y a cinq ans il s'est marié avec une femme beaucoup plus jeune que lui...

— Toujours misogyne, monsieur ?

— Toujours, Guillaume. Pour moi, un homme amoureux n'est plus lui-même. Notez que je ne connais pas la jeune Mme Montanay. C'est peut-être quelqu'un de très bien et qui laisse son mari tranquille, mais cela peut être aussi une avide, une dépensière... bref, vous voyez où cela nous mène ?

— Un peu trop classique pour mon goût.

— Il n'y a jamais rien de bien nouveau, dans notre métier, vous savez. Mais, naturellement, je me défends d'aiguiller vos recherches. Il est possible que Montanay soit un très honnête homme et dans ce cas le coupable est à trouver. Un soin qui vous incombe, Guillaume.

— Et... si je le trouve ?

M. Dumolard me fixa de son beau regard aux pseudo-naïvetés enfantines, qui émouvait les âmes sensibles et me confia gentiment :

— Vous savez bien, Guillaume, que dans notre métier nous ne pouvons nous permettre de procéder à des arrestations et encore moins à des procès.

De l'air le plus bénin, M. Dumolard venait de condamner un homme à mort et de m'instituer son meurtrier.

J'ai pris le train « Drapeau » à 18 h 30. Je serai à Poitiers avant minuit. Contrairement à mon habitude, je ne me suis pas rendu au wagon-restaurant. Je me sens légèrement oppressé. Il y a longtemps que je n'ai pas éprouvé cette pénible sensation de malaise, sans cause physique apparente. L'histoire du professeur Montanay n'a rien de tellement original qui puisse me troubler. A la vérité, je me donne la comédie car je sais très bien ce que j'ai. Le patron m'a parlé de Madeleine, et Madeleine, en dépit de tous mes efforts, je ne parviens pas à l'oublier. C'est encore parce que c'est la première fois que je remonte dans le « Drapeau » depuis ma rencontre avec Madeleine que je ressens quelque difficulté à respirer.

Un peu plus de deux années, déjà...

Je m'étais rendu à La Rochelle pour enquêter sur une affaire de disparition de documents, pas très importants en soi, mais qui laissaient entendre qu'une organisation était installée là-bas et pourrait, le cas échéant, s'approprier un bien plus gros butin. Il s'agissait de démanteler discrètement et rapidement ce noyau. Ce fut chose assez rapidement faite et sans trop de sang versé, ce qui est toujours préférable. Ma mission terminée, je m'apprêtais à prendre un ou deux jours de repos sur place, lorsqu'un ami me conseilla d'aller visiter Brouage. Ce petit port aujourd'hui envasé et dont la grandeur ne subsiste plus que dans ses remparts, est surtout célèbre par l'exil qu'y subit Marie Mancini, nièce de Mazarin, dont le jeune Louis XIV était trop épris ; exil qui dura jusqu'au moment où fut annoncé le mariage

16

du roi et de l'infante Marie-Thérèse. Bien des gens s'imaginent, par suite de lectures stupides, que les agents des services spéciaux sont tous et obligatoirement des brutes se complaisant dans la bagarre et la souffrance. Cela ne tient pas debout et la plupart d'entre nous sont de très bons pères de famille, n'en déplaise à M. Dumolard, de loyaux époux qui, revenus de missions pas toujours dangereuses, ne pensent qu'à chausser leurs pantoufles. Au risque de décevoir, je dirai que je suis un tendre et que j'adore les jolies histoires d'amour. C'est pourquoi, en mémoire de Marie Mancini qui attendit vainement son bel amoureux de vingt ans, je décidai de passer la nuit à Brouage.

Naturellement, je participai à la courte visite guidée et je rentrai à l'hôtel, la tête bruissante de l'écho de vents depuis longtemps tombés, poussant des galères depuis longtemps réduites en poussière et des sanglots ténus d'une enfant amoureuse d'un roi. Après un repas léger, je sortis pour savourer à mon aise (les touristes partis) les douceurs d'une nuit printanière où glissaient des tiédeurs annonciatrices de la belle saison. Sans même en prendre conscience et sans doute, parce que j'étais déjà envoûté, je gagnai l'endroit, sur les remparts, où le guide nous avait affirmé que Marie ne se lassait pas de guetter l'impossible venue d'un amant que la raison d'Etat écartait de ses bras. J'avançai silencieusement — vieille habitude de métier — sur l'herbe encore tendre et je m'arrêtai pile, m'imaginant victime d'une hallucination : là où jadis Marie Mancini se consumait, une autre femme attendait. Presque malgré moi, à voix haute, je dis :

— Marie...

Lentement, l'inconnue se tourna vers moi et chuchota :

— Louis... enfin !

Je fus un moment à ne plus savoir si je rêvais ou non. Cette aventure d'un autre temps qui ressurgis-

sait et nous donnait des rôles qui ne nous apparte-
naient pas... ! C'était idiot et c'était merveilleux. Mon
interlocutrice et moi-même, immobiles, nous nous
perdions dans un songe identique, comme si par le
seul pouvoir de notre volonté, nous pouvions remon-
ter les âges et nous assimiler à des héros disparus.
Bien sûr, mon premier geste dissipa l'enchantement.
Quelque peu oppressé par le sortilège inexplicable
de cette nuit trop douce, je dis sottement :

— Excusez-moi... Je ne suis pas Louis et... et je le
regrette infiniment.

J'entendis un rire léger et doux.

— Je ne suis pas davantage Marie, si cela peut
vous consoler.

— Peut-être suis-je importun ?... pourtant... vous
n'attendez certainement pas un roi ?

— Toutes les femmes, à un moment ou à un autre,
attendent la venue d'un roi qui les choisirait ou qui
aurait pu les choisir...

Ce fut de cette romantique façon que je fis connaissance de Madeleine. Nous sommes rentrés côte
à côte. Nous habitions, sans le savoir, au même
hôtel. Nous avons passé vingt-quatre heures dans
une sorte d'ivresse partagée. Nous étions si loin du
monde que nous ne nous souciâmes pas une seconde
de l'opinion des autres. Jouant le jeu, nous ne nous
sommes pas posé de questions. Elle connaissait mon
prénom, je répétais le sien avec ferveur. Qu'avions-
nous besoin d'en savoir plus ? Nous nous sommes
aimés comme si nous nous étions trouvés sur une
île déserte et, à la vérité, c'était bien, pour nous, une
île déserte que ce Brouage dont nous ne voyions plus
les visiteurs. Madeleine... si belle... Elle avait entre
vingt-huit et trente ans, brune, grande, élancée, mais
surtout un regard d'une douceur qui me réchauffait
le cœur. Je sais bien que pour tenter d'exprimer ce
que j'éprouvais alors, j'use de formules banales, de
mots ressassés mais je n'en connais pas d'autres.
Le coup de foudre. Nous ne pensions pas aux instants

qui suivraient. Nous vivions dans le présent et dans le présent seulement. Pas plus que nous ne nous étions interrogés sur notre passé, nous ne parlâmes de l'avenir, comme si nous sentions obscurément qu'il ne pouvait pas y avoir de suite à des heures aussi exaltantes.

Le lundi matin, en descendant pour prendre mon petit déjeuner, j'ai trouvé une lettre appuyée contre ma tasse. Immédiatement, j'ai compris que Madeleine était partie. D'ailleurs, la manière dont la servante m'examinait, me surveillait, aurait suffi à m'éclairer. Le billet était court :

« Je ne suis pas libre. Si je l'étais, je resterais. Notre aventure est la première, et sûrement, la dernière de mon existence. Mais au moins, j'aurai vécu une fois. Merci pour ce bonheur si court mais qui demeurera en moi. Ne cherchez pas à deviner qui je suis, d'où je viens, où je vais. Les renseignements donnés à l'hôtel sont faux et puis, ce serait mal. Ne me faites pas regretter ma confiance. De tout cœur, à vous. »

Je n'ai rien pu savoir et j'ai regagné Paris. Il y a deux ans de cela et depuis, jamais je n'ai entendu parler de Madeleine. J'ignore même si elle vit encore. Il y a des instants où je me demande si je n'ai pas rêvé, finalement, cette aventure.

Dans le train où le bruit alterné des boggies berce mes souvenirs, je me dis qu'un jour ou deux de retard ne changerait pas grand-chose à ma mission et qu'il me serait possible, de Poitiers, de filer sur La Rochelle et de là sur Brouage pour revivre quelques heures dans le décor de mes amours mortes. Mais, à quoi bon ? Brouage sans Madeleine n'a plus d'intérêt pour moi.

Autrefois, — je veux dire avant ma rencontre avec Madeleine, — je me rendais souvent à Poitiers où je compte de bons amis, tant parmi les vignerons de Marigny-Brizay, que parmi les gens ayant pignon sur rue dans la vieille cité médiévale, quoique mon ami Bussonnet ait son hôtel un peu en dehors de la ville proprement dite, près de la gare. Il n'était pas loin de minuit lorsque je descendis du train et tout de suite, du trottoir extérieur je jetai un coup d'œil vers le boulevard du Grand Cerf où se dresse l'hôtel de Paris, fief de mon copain Robert qui y exerce ses talents de maître-queux deux fois par jour et y déploie toutes les ressources de sa bonhomie de propriétaire. Bussonnet sait tout de Poitiers et avant que de me présenter au professeur Montanay, je me propose de lui demander quelques tuyaux. Je serais étonné qu'il ne puisse pas me renseigner. En dépit de l'heure tardive, il y avait encore de la lumière à l'hôtel de Paris et je m'en sentis ragaillardi. Il n'était plus temps de penser aux fantômes pour si tendres qu'ils puissent être, mais bien de se jeter dans l'action et pour ce, de commencer par me sustenter, ce que j'avais omis de faire. Or, Bussonnet a le secret d'une certaine omelette Trocadéro dont la seule évocation me mit l'eau à la bouche. La gastronomie est un des plus sûrs réconforts des mal-aimés ou des pas aimés du tout.

Bussonnet buvait un ultime verre de Chinon avec ses deux derniers clients, deux chasseurs d'après leurs propos et, qui venaient bercer leur nostalgie des courses à travers champs et bois en se racontant de belles histoires auxquelles personne ne croyait, même pas eux. En me voyant entrer, Robert se leva.

— Guillaume ! C'est pas Dieu possible ? Et tu arrives comme ça, sans seulement prévenir ? Et d'abord d'où viens-tu ?

— De Paris.

Il me fit une grimace en ajoutant :

— Je ne pense pas que ce soit uniquement pour me voir ?

— C'est aussi pour te voir.

— Toujours menteur, hein ?

Bussonnet refuse de prendre l'existence au sérieux

et c'est ce qui lui garde une jeunesse qui est l'orgueil de la tendre Olga, son épouse, qui a les yeux que les imagiers de St-Sulpice donnent à leurs Madones pour émouvoir les fidèles. Olga est aussi paisible que son époux est survolté. Qu'elle trône à sa caisse, Junon réglant la circulation dans un Olympe de la restauration, ou qu'elle soit entourée de ses fillettes, rien ne peut la sortir de son aimable caractère, tandis que son mari court de ses fourneaux à sa cave, galope de son garage au marché, se précipite de son hôtel à sa maison de campagne. En bref, il importe de se livrer à de difficiles calculs de probabilité quand on veut essayer de rencontrer Robert Bussonnet dans la journée. Mais le soir, ce turbulent s'apaise et, mari modèle, joue le dieu gardien du foyer.

— Tu sais que je ne te trouve pas bonne mine, Guillaume ?

— Je vieillis.

Il baissa la voix pour me demander :

— Tu es ici... pour ton métier ?

— Bien sûr.

— Oui, mais... lequel ?

— Les deux.

Bussonnet est au courant de pas mal de choses parce que j'ai confiance en lui. Ce bavard sait, quand il le veut, être la discrétion même et, dans mon travail, j'ai besoin de quelques amis sûrs à qui me confier. Naturellement, je leur en dis le moins possible pour qu'ils ne soient jamais menacés, mais je compte toujours sur eux en cas de coup dur pour alerter qui il faut.

— Tu as dîné ?

— Pas encore.

— Tu ne vas quand même pas m'obliger à rallumer mes fourneaux ?

— Je me contenterai de quelque chose de vite préparé sur le gaz.

— Toi... je te devine ! Une omelette Trocadéro, hein ?

— Je ne voudrais pas...

— Tu as de la chance, j'ai des champignons tout prêts... Laisse-moi dire au revoir aux amis et pendant ce temps, installe-toi dans la salle du fond que je puisse fermer et qu'on ne soit plus dérangé.

Alors que je me retirais vers l'endroit indiqué, Robert mettait gentiment ses clients à la porte. Je le voyais de profil et avec son nez fureteur, ses yeux vifs, il me faisait penser à ces oiseaux toujours sur le qui-vive et qui paraissent sans cesse agités par l'envie d'être ailleurs.

Je dégustai avec recueillement mon omelette Trocadéro — une omelette farcie de champignons, de jambon, d'échalotes et de mousse de foie gras, nappée de crème, saupoudrée de gruyère et passée au four — tout en répondant aux questions de mon hôte, enfin dans la mesure où je le pouvais.

— Et cette femme de Brouage ? Tu n'y penses plus, j'espère ?

— Si.

— Ça m'étonne de toi... avec ton métier... enfin, l'autre... que tu sois sentimental comme une midinette. Il y a belle lurette qu'elle t'a oublié !

— Qu'est-ce que ça fait ?

C'est chez Robert que j'étais venu me réfugier en revenant de Brouage, il y a deux ans. Olga et lui avaient été très chics, très compréhensifs.

— Bon... et maintenant, tu peux me dire pourquoi tu es à Poitiers ?

— Je rentre comme assistant chez le professeur Montanay.

Bussonnet en siffla de surprise.

— Et bien ! je me doutais que tu étais calé mais... à ce point-là ! Il paraît que c'est un as, ce Montanay ?

— Un as, oui. Tu le connais ?

— Tout Poitiers le connaît. Il vient quelquefois dîner ici avec sa femme et sa belle-sœur. De rudement jolies filles, si tu veux mon avis et je suis sûr

22

que lorsque tu les auras vues, tu ne penseras plus à ton fantôme ! En tout cas, tu es là pour un bon bout de temps ?

— Ça dépend.

— De quoi ?

— De ma réussite ou de mon échec.

— Ah ?... parce qu'il y a quelque chose qui ne tourne pas rond dans l'entourage du professeur ?

— Oui, et je dois m'arranger pour que ça recommence à tourner rond. Naturellement, tu es et tu seras le seul à être au courant.

— Compris. Silence et discrétion !

— Même pour Olga, hein ?

— Même pour Olga. C'est juré ! Buvons un petit Chinon à ta réussite !

Nous trinquâmes.

— Qu'est-ce que tu dis de mon Chinon ?

— Il mérite le respect.

— Bravo ! Je suis heureux de constater que dans ton Paris tu n'as pas perdu le goût des vins honnêtes. Naturellement, tu loges ici ?

— Naturellement. Et maintenant, Robert, parle-moi de Montanay.

— Un type sympathique et qui n'en installe pas. Dans les cinquante-cinq, soixante ans. Il parle doucement et a toujours l'air d'être un peu ailleurs. Il est marié depuis cinq ans à Mme Montanay — comme tu t'en doutes — une femme encore jeune, bien faite, une des plus jolies citoyennes de Poitiers. Rien à dire sur son compte. Par contre, la sœur de cette dame, Colette — dans les vingt-deux ans — est beaucoup plus délurée à ce qu'on raconte. Aussi jolie que Mme Montanay, mais plus à la page, plus twist, si tu saisis ?

— Très bien...

— Note qu'on ne lui reproche rien. Elle aime s'amuser, quoi, et c'est normal. Elle est de tous les raouts avec son fiancé, un nommé Larcat, beau garçon, qu'elle paraît mener par le bout du nez et qui est assistant du professeur. A lui non plus on ne connaît pas d'aventure, d'ailleurs je crois que la dénommée Colette ne le lui permettrait pas. Et voilà toute la famille. Pas d'enfants, pas de vieux parents. Un trio qui, de temps à autre, se transforme en quatuor par l'adjonction du sieur Larcart.

— Et les autres types qui travaillent avec Montanay ?

— Ceux-là sont plus bizarres car, pratiquement, ils ne se montrent pas, surtout l'Anglais. Ah ! J'ai oublié de te signaler que le professeur, politiquement, inclinerait plutôt sur l'extrême gauche.

— Tiens, tiens...

— Oui, c'est un apôtre de la paix, de l'entente entre les peuples, de la non-violence, etc. Il préside des rassemblements contre la guerre, pour le désarmement complet, il a été deux fois en Russie et a donné deux conférences au retour de ses voyages pour expliquer que là-bas c'était aussi bien qu'ici. C'est pour ça que la haute société le tient un peu à l'écart et c'est sans doute pour ça aussi qu'il a accepté un Yougoslave dans son laboratoire.

— Je vois... et comment est-il ce Milorad Stepanic ?

— Un ours, mon vieux. Du poil partout et aussi bavard qu'un ours affamé. Tu te rends compte ? Pourtant, quand il est soûl — et ça lui arrive régulièrement une fois par mois — il se met à parler. C'est comme cela qu'on a su qu'il se trouvait au maquis avec Tito et qu'il encaisse mal les Occidentaux en général et les Amerloks en particulier. Il est communiste et il ne s'en cache pas, mais il ne se livre pas à la propagande et ne se rend jamais aux réunions politiques. Il sait qu'on l'expulserait et ça, il n'y tient pas !

— Pourquoi ?

— Parce qu'il est amoureux !

— Non ?

— Si !

— Et d'une impérialiste ?

— Je ne sais pas si la belle Judith est impérialiste mais en tous les cas c'est elle qui fait perdre les pédales au Milorad.

— Qui est cette Judith ?

— Judith Fenioux, la femme du concierge du laboratoire et de la maison Montanay. Une belle fille, on ne peut pas dire le contraire. Une brune qui flirte avec la quarantaine, bien en chair, espagnole d'origine et qui, à la libération, a épousé Antoine Fenioux pour ne pas retourner dans son pays et tomber sous la patte des policiers de Franco.

— Quel genre de bonhomme, cet Antoine ?

— Un paresseux et un ivrogne. Il se prend pour quelqu'un d'important, alors il se soûle à domicile. Tandis que Milorad, il s'enivre comme je te l'ai dit, une fois par mois, jamais plus. Il explique que ça lui purge le sang.

— En somme, la nommée Judith n'a guère de chance. Mariée à un ivrogne, elle est courtisée par un ivrogne ?

— Oui, mais le Milorad l'aime et il la traite comme une reine. Il paraît qu'il la couvre de petits cadeaux... des bibelots, bien sûr, mais enfin le sentiment y est et c'est le principal... Il n'y a que les femmes honnêtes qui ne comprennent pas ça !

— Et Mme Fenioux, elle répond à la tendresse du Yougoslave ?

— On le croirait, vu qu'on les rencontre dans des coins impossibles tous les deux et où ils se figurent cachés. A la belle saison, c'est le parc de Blossac, et quand il pleut, un café près du Jardin des Plantes. Maintenant, pour t'apprendre où ils en sont, je n'en sais rien.

— Cet Herbert Moriss, tu es renseigné sur lui ?

— Pas plus ni moins que tout un chacun, à Poitiers. Il est arrivé il y a un an et demi, à peu près. C'est un blond, très mince, que sa minceur fait paraître sûrement plus jeune qu'il n'est en réalité.

25

— Quel âge lui donnes-tu ?

— Comme le Yougoslave, dans les trente, trente-cinq ans. C'est un type toujours très correctement habillé et rudement bien élevé. Il habite chez une vieille dame de la rue de la Cathédrale et tout le quartier l'a à la bonne. Quant à sa logeuse, c'est bien simple, elle affirme que si elle était certaine que tous les Anglais fussent à l'image de son hôte, elle en voudrait à Jeanne d'Arc de les avoir boutés hors du royaume.

— Personne dans la vie de ce jeune homme rangé ?

— Personne... A mon sens, c'est ça qui n'est pas naturel, et ce qui n'est pas naturel, je le trouve louche ! Depuis son arrivée il n'a rendu qu'une seule visite : au consul d'Angleterre qui est de mes relations et qui dîne ici quelquefois. C'est par lui que j'ai su que ce Moriss, sous ses apparences paisibles, était peut-être un type dangereux !

— Dangereux ?

— Paraîtrait qu'il appartient à un parti qui veut supprimer la Chambre des lords ! Tu te rends compte ?

— Ce n'est pas bien grave... Je connais son parti : le Parti Travailliste indépendant. Ils ne sont là-dedans qu'un poignée. Donc, ce Moriss vit seul ?

— Avec un chat qu'il a recueilli et élevé. Il l'appelle Iago. Ce type a la passion des chats. Il est rare, quand on le rencontre, qu'il n'ait pas une de ces bêtes dans les bras !

Tandis que je me déshabillais dans la chambre que j'occuperais pendant Dieu sait combien de temps, je rendais grâce au ciel d'avoir un ami comme Bussonnet, car en moins de deux heures de conversation, j'avais plus appris sur ceux que j'étais appelé à fréquenter, voire à combattre, qu'au terme d'une longue et difficile enquête. De tout ce que je savais maintenant sur Montanay et son entourage, il apparaissait que tous, à des titres divers — sauf peut-être l'amoureux Larcat — nourrissaient des sympaties évidentes pour les communistes et par là, il semblait bien que M. Dumolard s'était trompé en attribuant à la seule cupidité, les raisons de ce que nous pourrions appeler trahison ou espionnage selon la nationalité du coupable.

Le lendemain matin, en descendant de ma chambre, je commençai par saluer Olga Bussonnet, déjà installée à sa caisse. Je la retrouvai telle que je l'avais quittée deux années plus tôt. Rien ne changera jamais Olga et son regard de petite fille. Elle m'apprit que son mari était déjà parti et qu'il ne réapparaîtrait que sporadiquement au cours de la matinée puis, rougissant comme une première communiante, elle me chuchota :

— Et votre aventure de Brouage, monsieur Guillaume, c'est fini, j'espère ?

En dépit de ce « j'espère » je devinais une légère appréhension dans cette question. Olga est une tendre qui, elle aussi, adore les histoires d'amour et je suppose qu'elle aurait été déçue si je lui avais avoué ne plus me souvenir de Madeleine.

— Non... je la cherche toujours... enfin, disons plutôt que j'attends que le hasard me remette en sa présence.

Les beaux yeux d'Olga se voilèrent. Elle m'approuvait mais n'osant pas me le confier, elle se contenta de me serrer la main.

Je téléphonai alors au professeur Montanay que je trouvai chez lui. Fort courtoisement, il m'assura de son plaisir de m'entendre et de la hâte qu'il éprouvait à faire ma connaissance. Il me donna rendez-vous à onze heures à son laboratoire et me retint à déjeuner pour me présenter à sa famille. La voix était douce, amicale. Une voix de brave homme.

Le temps était magnifique et le ciel se montrait d'un bleu qui rappelait celui du ciel tourangeau, son voisin. Je me sentais en pleine forme et bien décidé à mener rondement cette affaire. Je déjeunai de fort bon appétit, et vers 10 h 30, je sortis pour entamer le match qui allait m'opposer, qui m'opposait déjà, à un adversaire encore sans visage.

Le professeur Montanay habitait dans un des plus jolis quartiers de Poitiers, aux alentours de l'église Saint-Hilaire. En flâneur qui a tout son temps, je remontai le boulevard du Pont-Achard jusqu'à la rue du même nom que je grimpai pour parvenir à la rue Saint-Hilaire et, à 11 heures précises, je sonnai à la porte de la propriété Montanay dans la rue du Cuvier. Un homme au teint blafard, à l'œil chassieux, vint m'ouvrir et s'enquit de ce que je désirais.

— Voir le professeur Montanay.

— Vous avez rendez-vous ?

— A 11 heures.

Il commençait à m'énerver et je décidai de l'étonner.

— Parfaitement, Antoine.

Il ne cacha pas sa surprise de s'entendre appeler par son prénom et, du coup, se montra plus aimable :

— Si monsieur veut bien me suivre ?

L'un derrière l'autre, nous passâmes devant une petite bicoque sur le seuil de laquelle une femme nous regardait. Il ne fallait pas être grand clerc pour deviner dans cette belle créature, magnifiquement épanouie avec un rien de vulgarité, la belle Judith que son mari attrapa :

— Qu'est-ce que tu fiches ici, au lieu d'être à ton ménage ?

Elle haussa les épaules et tourna les talons sans répondre. Un peu gêné, Antoine remarqua :

— Les femmes quelle plaie ! Vous êtes marié, monsieur Norrey ?

— Non.

Il soupira :

— Vous ne connaissez pas votre bonheur !

Sur cette affirmation nettement misogyne qui me rappela M. Dumolard, le concierge m'introduisit dans le laboratoire, pavillon d'apparence fort coquet et situé à quelques dizaines de mètres d'une maison ancienne et de grande allure. Antoine me fit entrer dans un bureau confortable, aux murs tapissés d'ouvrages scientifiques puis, m'abandonna afin d'aller prévenir le professeur. Celui-ci ne tarda pas a se montrer.

— Norrey ! Je suis bien content de vous recevoir chez moi. Vous m'autorisez, n'est-ce pas, à supprimer tout de suite le « monsieur » protocolaire ? Comme nous travaillerons ensemble, il vaut mieux établir tout de suite des relations simples et cordiales. Appelez-moi Montanay et laissez le « professeur » à mes élèves et « maître » aux imbéciles. D'accord ?

— D'accord.

— Parfait... Vous êtes sûrement au courant des travaux que j'ai entrepris et pour lesquels j'ai besoin de votre aide ?

— A peu près.

— Nous mettrons tout cela au point, dès cet après-midi ou plutôt, non, dès demain après-midi. Je tiens à vous laisser quand même le temps de vous installer. Vous connaissiez Poitiers ?

— Oui... j'y ai même d'excellents amis.

Il parut en marquer de la contrariété.

— Dommage... Oui, j'aurais préféré que vous n'ayez aucune relation dans notre ville, car mes recherches sont secrètes, très secrètes... Notez bien, cher ami, que je ne mets pas votre discrétion en doute mais enfin... votre solitude poitevine m'eût été un gage supplémentaire de confiance... de quiétude.

S'il était celui que je devais démasquer, le professeur se montrait d'un cynisme peu banal. Je jouai les offusqués.

— Si vous estimez que je ne suis pas l'homme qu'il faut, monsieur, il m'est facile de reprendre le train.

— Non ! non ! pas question ! en voilà une idée ! Seulement, je suis nerveux... Comprenez-moi, Norrey... je sens qu'il s'en manque de peu pour que je parvienne au but et je crains que des indiscrétions ne me privent *in extremis* du succès que j'espère. Vous serez à mes côtés pour cette phase finale en compagnie de mon futur beau-frère Jacques Larcat... Un excellent chercheur mais qui manque encore de pratique, si je puis dire... et c'est pourquoi j'ai besoin d'un homme expérimenté qui puisse me décharger d'une partie de la besogne car je dois aller vite, maintenant, très vite.

— Pourquoi ?

— Pourquoi ?... mais parce que... au fait, je n'en sais rien... Simplement, je pense que lorsqu'on approche du terme, il est nécessaire de hâter l'allure. Peut-être serait-il bon que je vous expose les idées qui m'ont conduit à entreprendre mes recherches ?

— Je vous en serais fort obligé.

Il se mit à parler et rapidement, je perçai son jeu à jour : sous prétexte de m'expliquer, il me tendait des pièges pour se rendre compte de mes connaissances. Sur mes gardes, je relevais ses erreurs. Il s'en excusait, mais en semblait ravi. Visiblement, mon savoir le rassurait. Quand il eut terminé son exposé, il sollicita mon avis que je lui donnai. Rasséréné, il me confia où il en était arrivé et ce qu'il attendait de moi. Il estimait que dans moins d'un mois nous devrions avoir abouti.

— Au laboratoire, vous rencontrerez deux autres chercheurs, un Yougoslave, Milorad Stepanic, un homme fruste mais plein de bonne volonté et de culture scientifique solide ; un Anglais, Herbert Moriss, un peu plus énigmatique, mais lui aussi de culture scientifique fort satisfaisante. D'ailleurs, il vient de l'université de Londres où il était maître de conférence. Seulement, je dois vous prévenir que ces deux messieurs ne sont pas au courant de la nature de mes travaux particuliers. Ils préparent leur doctorat et je suis chargé de surveiller et de guider leurs efforts.

Je souris intérieurement. Si le professeur était

innocent, il témoignait d'une belle naïveté en s'imaginant que le Yougoslave ou l'Anglais ou les deux, ignoraient quoi que ce soit de ses travaux.

— Mon cher Norrey, je vais vous envoyer Larcat qui vous renseignera sur le côté matériel de notre tâche... Je suis très content de votre présence parmi nous et je suis convaincu que tout marchera très bien. Ah ! à propos, où êtes-vous descendu à Poitiers ?

— A l'hôtel de Paris.

— Une excellente maison où nous allons quelquefois dîner, ma femme et moi. Vous êtes seul, à Poitiers ?

— Pardon ?

— Mme Norrey ne vous a pas accompagné ?

— Il n'y a pas de Mme Norrey.

— Célibataire de profession ?

— Non... par fidélité.

— Ah ?... Excusez-moi d'avoir réveillé un triste souvenir.

Comme chaque fois que directement ou indirectement, mon interlocuteur fait allusion à Madeleine, je me laisse aller aux confidences comme si parler d'elle lui redonnait la vie, me la rendait plus proche.

— Il ne s'agit pas à proprement parler d'un triste souvenir, du moins au sens où vous pourriez l'entendre.

Et je lui racontai mon histoire avec Madeleine sans lui donner, bien sûr, ni le prénom de ma bien-aimée ni l'endroit où nous nous étions rencontrés. Il m'écouta attentivement et je ne le quittai pas de l'œil. S'il avait souri, je me serais levé et je serais parti sans plus me préoccuper de ma mission car pour moi, Madeleine est bien plus importante que toutes les missions du monde. Je suis un très mauvais agent qu'on devrait mettre à la retraite le plus tôt possible. Lorsque j'eus terminé mon récit, Montanay me prit les mains.

— D'emblée, vous m'avez été sympathique, mon cher Norrey, mais maintenant, je sens que je vais vous aimer comme un ami, l'ami qu'à mon âge on n'espère plus rencontrer. Vous m'avez bouleversé. C'est si rare à notre époque une tendresse qui refuse de se renier... De toutes mes forces, de toute mon âme je souhaite que vous retrouviez cette femme et qu'elle vous ait gardé la foi que vous-même avez su lui conserver. Merci de vos confidences. Allons, rien ne sera complètement perdu tant qu'il y aura des hommes comme vous... Ne bougez pas, je vous envoie Jacques... Jacques Larcat, je veux dire. Lorsque vous aurez un peu bavardé, il vous amènera au laboratoire où je vous présenterai Stepanic et Moriss. A tout de suite ! et n'oubliez pas que nous déjeunons ensemble. Je suis certain que ma femme et ma belle-sœur seront heureuses de vous rencontrer.

Demeuré seul, je tentai de mettre mes idées en ordre. Incontestablement, Pierre Montanay était sympathique. Plutôt petit, sous ses cheveux gris son visage m'obligeait à penser à ceux des apôtres dans les peintures du Quattrocento. Il apparaissait comme le savant classique des histoires enfantines, je veux dire l'homme de science qui, sorti de ses calculs et de ses formules, se montre d'une naïveté attendrissante. En bref, l'homme du monde le plus facile à tromper. A moins d'être tombé sur un comédien d'un talent exceptionnel, il me fallait bien convenir que celui qui profitait sans vergogne des travaux de Montanay, n'avait pas à se donner beaucoup de mal.

Jacques Larcat, un grand gars d'allure sportive, entra et me tendit tout de suite la main :

— Norrey ? Heureux de vous recevoir. Nous avions rudement besoin de vous !

— De moi ?

— De vous ou d'un autre de votre qualité, car le patron devient de plus en plus impossible au fur et à mesure qu'il arrive près du but... Cigarette ?

— Non, merci.

— Vous permettez ?

— Je vous en prie.

Il alluma une cigarette en s'asseyant à demi sur le bureau du professeur.

— En dépit de sa nervosité actuelle, le professeur Montanay est le plus chic type du monde, vous savez. Je voudrais l'aider davantage mais il me manque l'expérience. Non, non, ne protestez pas, je n'ignore pas ce que je vaux et n'entends pas jouer les modestes, mais les années de laboratoire me font défaut et cela, rien ne peut le remplacer, c'est bien votre avis, n'est-ce pas ?

— Dans un certain sens, oui.

— Alors, on compte sur vous. En tout cas, comptez sur moi pour tout ce qui sera en mon pouvoir.

— Vous êtes très aimable.

— Je souhaite pour vous, mon cher, que nous en terminerons le plus rapidement possible avec ce sacré carburant !

— Pourquoi ?

— Parce que Poitiers, entre nous, ce n'est pas tellement folichon...

— Cela dépend à quel point de vue l'on se place.

Il se mit à rire.

— J'ai dit quelque chose de drôle ?

— Non pas, mais vous vous exprimez comme le patron pour qui Poitiers est une réplique du paradis sur terre. Ce n'est pas l'avis de Colette, sa belle-sœur et ma fiancée. Dès que nous serons mariés, nous filerons si je puis trouver une place dans une faculté comme Strasbourg, Bordeaux, Lyon... et c'est pour ça aussi que le temps me dure d'assister au triomphe final de Montanay, dont la gloire rejaillit un peu sur moi, ce qui ne sera pas mauvais pour mon dossier.

A mon tour, je souris.

— Arriviste, hé ?

— Non, amoureux. Colette ne m'épousera sûrement pas tant que je n'aurai pas été nommé ailleurs. Elle étouffe ici. Elle s'y ennuie.

— Ne vit-elle pas auprès de sa sœur ?

— Si, mais sa sœur est du genre placide. Elle trouve tout bien, tout suffisant et du moment que son mari est heureux, elle se déclare heureuse aussi.

— Voilà un excellent modèle d'épouse, non ?

— A condition d'être un Montanay ! Je veux dire quelqu'un pour qui rien ne compte en dehors de son travail et de son foyer.

— Et qu'est-ce qui peut compter en dehors de ça ?

Larcat me regarda longuement comme pour juger si je parlais sérieusement ou non puis soupira :

— Vu... Colette et moi ne trouverons pas un allié en vous. Venez que je vous présente les deux monstres qui nous tiennent compagnie au labo.

— Des monstres ?

— Eux aussi ne songent qu'à travailler quoique Milorad... mais vous apprendrez bien assez tôt les racontars dont le quartier se régale.

Le laboratoire du professeur Montanay me parut, du premier coup d'œil, parfaitement agencé. Un endroit où l'on devait, dans une extraordinaire quiétude, fournir un excellent travail. Il est vrai que cette quiétude extérieure ne correspondait sûrement pas à la quiétude intérieure des quatre hommes qui, en ce moment même, me regardaient. Avec amabilité de la part du patron, avec indifférence de la part de Larcat, pour qui j'étais un « vieux » incapable de comprendre ses problèmes, avec hargne de la part du Yougoslave, aux yeux de qui je représentais le savant ploutocrate et impérialiste, avec curiosité de la part de l'Anglais. Montanay prit la parole pour me souhaiter la bienvenue et m'exprimer avec quelle sympathie son équipe et lui-même m'accueillaient (sympathie bien difficile à découvrir!) puis il me présenta Milorad Stepanic, un excellent physicien venu de Belgrade et Herbert Moriss, un non moins excellent produit de l'Université de Londres, qui tend à concurrencer les grandes universités privées. Stepanic me broya la main et me tourna le dos. Moriss omit de me tendre la sienne, se contentant d'une légère inclinaison du buste, tout en remarquant dans un français impeccable :

— Je n'aurais jamais pensé qu'on pût quitter les laboratoires parisiens pour venir à Poitiers...

Celui-là, s'il ne se fichait pas de moi, je voulais bien être pendu.

A midi, les collaborateurs du patron s'en furent et je restai seul avec le professeur qui sollicita mon opinion sur mes nouveaux collègues.

— Larcat est nettement le plus sympathique. (Il parut ravi de cette appréciation.) Avec Stepanic je ne pense pas que nous bavardions beaucoup.

— Rassurez-vous, il ne bavarde avec personne.

— Moriss me paraît le plus singulier des trois.

— Vraiment ?

— J'imagine qu'il doit être très difficile de deviner ce qu'il pense. On ne voit pas ce que cache son sourire ironique. Personnage curieux.

— C'est exact... Et maintenant que vous en parlez, je réalise que depuis dix-huit mois qu'il vit à mes côtés, je ne me suis jamais posé de questions au sujet de Moriss... comme c'est étrange !

Il paraissait vraiment intrigué par son propre comportement.

L'appartement des Montanay était ce qu'on pouvait attendre de bourgeois éclairés, sachant se tenir un peu en retrait du modernisme sans pour autant tout sacrifier au passé. Lorsque je m'inclinai devant une belle jeune femme blonde, je me dis que le professeur avait bien de la chance. Mais, très vite, je fus détrompé par le professeur lui-même qui s'adressait à notre hôtesse du moment :

— Ta sœur n'est pas là ?

— Elle est chez sa coiffeuse. Elle ne tardera sans doute pas.

Montanay se tourna vers moi :

— Norrey, je suis navré du retard de ma femme... mais, elle s'en excusera elle-même. En attendant permettez-moi de vous présenter ma belle-sœur, Colette, la fiancée de Larcat.

La jeune fille protesta :

— Doucement, Pierre, je vous en prie ! Fiancée, oui, mais à certaines conditions et vous savez lesquelles !

Le professeur sourit et m'expliqua :

— Mademoiselle que voilà, estime que Poitiers n'est pas à sa mesure !

— Vous êtes méchant, Pierre ! Quand nous nous connaîtrons mieux, M. Norrey et moi, je lui exposerai mon point de vue et je suis certaine qu'il me comprendra !

Je m'inclinai.

— Il doit être difficile, mademoiselle, de ne pas être de votre avis...

A ce moment on entendit la porte d'entrée se refermer et une voix de femme demander :

— Monsieur est déjà rentré, Jeanne ?

Puis un bruit de pas précipités. Parlant à Colette, je tournais le dos à la porte du salon qui s'ouvrait.

— Oh ! Pierre, je suis navrée d'être en retard...

— Ça ne fait rien, ma chérie, je suis sûr que Norrey te pardonnera... Norrey voici ma femme.

Je pivotai lentement car, dès le premier son de cette voix je m'étais senti comme paralysé et je me trouvai en présence de Madeleine !

CHAPITRE II

Il est 5 heures du soir. Je suis allongé sur le lit de ma chambre à l'hôtel de Paris. Ainsi que dans les romans noirs, j'ai une bouteille de whisky sur ma table de chevet et je l'accole fréquemment. Je fume sans même m'en rendre compte. L'atmosphère de la pièce est irrespirable. Mais, je n'ai pas le courage de me lever pour ouvrir la fenêtre. Inlassablement, je me répète : il n'est pas possible que de pareilles histoires arrivent... Il n'y a qu'au théâtre... pas dans la vie ! Ce n'est pas possible ! pas dans la vie...

Quand elle m'a vu arriver vers 3 heures, Olga — toujours à sa caisse — m'a regardé avec inquiétude.

— Monsieur Guillaume... qu'est-ce qu'il y a ?

— Rien... rien... mais donnez-moi quelque chose à boire... quelque chose de fort...

— Vous semblez tout retourné ! Qu'est-ce que vous désirez ? du rhum ?

Je ricanai stupidement :

— Comme pour les condamnés ? Merci bien ! Non, donnez-moi du whisky...

J'en bu un verre, deux verres, trois verres coup sur coup et la main d'Olga se posa sur mon poignet.

— Monsieur Guillaume... ce n'est pas raisonnable...

— La raison, Olga, si vous saviez ce que je m'en fous !

Son beau regard me conviait à lui confier mon désarroi. Elle seule pouvait peut-être me comprendre, car il n'y a que les femmes pour ne s'étonner de rien du moment que l'amour est en jeu. Mais, j'étais tellement épuisé par la tension nerveuse que je venais de subir pendant près de trois heures que j'étais à bout de résistance. Je pris la main d'Olga dans la mienne :

— Je vous raconterai... mais, pas maintenant... Je suis trop fatigué... J'ai besoin de me reposer... Si on me demande, répondez que vous ne m'avez pas vu depuis ce matin... et j'emporte la bouteille de whisky.

— Oh ! monsieur Guillaume... Vous allez vous faire mal !

— A présent, ça me sera difficile.

— Voulez-vous que j'appelle le docteur ?

— Je ne pense pas qu'il y pourrait grand-chose... A ce soir.

— Monsieur Guillaume... Quand Robert rentrera, est-ce que je lui dirai d'aller vous voir ?

— Non.

Je l'abandonnai, désemparée. J'éprouvai du remords à la quitter ainsi, car sachant l'affection que je nourissais pour son mari, elle se figurait peut-être que j'étais fâché contre lui. Elle me rattrapa dans l'escalier :

— Monsieur Guillaume, je ne peux vraiment rien pour vous ?

— Plus tard, Olga, plus tard...

— J'ai peur, monsieur Guillaume, de vous voir dans cet état... et Robert qui n'est pas là... Dites, vous n'allez pas commettre de bêtise ?

Je ris.

— Je suis un peu sonné, j'en conviens, mais pas à ce point là !

Timide, elle ajouta :

— Et si vous aviez de mauvaises idées... pensez a la dame de Brouage, sûrement qu'elle n'aimerait pas ça, elle non plus ?

Je n'étais pas tellement certain que ce n'eût pas été la solution souhaitée par la dame de Brouage, justement. Enfermé dans ma chambre, je me retraçai l'effarante scène vécue chez les Montanay.

Lorsque je m'étais trouvé en face de Madeleine — de ma Madeleine — le visage de celle-ci s'était littéralement décomposé. Je me demande comment les autres ne se sont aperçu de rien et, spontanément, je me félicitai que Moriss ne fût pas présent, car il me semblait qu'à celui-là il devait être difficile de cacher quelque chose d'important. Cependant, le professeur ne put pas ne pas remarquer le trouble de sa femme. Inquiet, il l'interrogea :

— Tu ne te sens pas bien, Madeleine ?

Elle parvint à détacher son regard du mien et à balbutier :

— J'ai couru... j'ai la tête qui me tourne un peu... Veuillez m'excuser un instant, je vous prie.

Et elle sortit prestement, beaucoup plus prestement que n'aurait pu le laisser supposer l'état de fatigue qu'elle venait d'avouer. Je me rendais bien compte que si Montanay, tout entier à son inquiétude, ne prêtait guère attention à une contradiction flagrante, il n'en était pas de même de Colette qui m'examinait, intriguée. De celle-ci aussi, il faudrait me méfier. Un peu perdu, le patron bafouillait :

— Je suis confus, Norrey... Je ne comprends pas... Un peu alarmé en même temps... Colette, qu'est-ce que tu en penses ?

La jeune fille répliqua légèrement :

— Bah ! un petit malaise de rien du tout...
Dans un instant il n'y paraîtra plus. Mais ce qui
est le plus étonnant, c'est que M. Norrey a l'air
aussi bouleversé que Madeleine ?

Elle m'assenait un coup droit que je ne savais
comment parer, lorsque le professeur se porta à
mon secours :

— Mets-toi à sa place ! C'est une drôle de
réception, non ?

Je sautai sur l'occasion offerte.

— Je crois que nous serions bien inspirés de
remettre ce déjeuner à plus tard... Il serait indé-
licat de ma part d'imposer à Mad... à Mme Montanay l'effort d'une réception pour si simple, si
amicale qu'elle puisse être. Aussi, avec votre permission...

Le patron, je n'en doutais pas, se serait volontiers laissé convaincre, mais Colette, pour des raisons qui m'échappèrent, ne l'entendait pas de cette
oreille. Elle protesta :

— Jamais de la vie ! Si Madeleine est trop
fatiguée pour présider ce déjeuner, elle est assez
raisonnable pour le dire. Pour une fois que j'ai
bien réussi ma marquise au chocolat, je tiens à ce
que M. Norrey en profite et rende hommage à mes
qualités de pâtissière ! Je vais voir Madeleine...

Quand la jeune fille nous eut abandonnés, Montanay se répandit encore en excuses, mais sans
attacher beaucoup d'attention aux mots qu'il pro-
nonçait et puis, il se laissa carrément aller à ses
inquiétudes.

— Ce malaise subit... Pourvu que le cœur... Je
crois que son père est mort d'une crise cardiaque...
Je dois vous paraître stupide, Norrey, mais voyez-
vous, Madeleine... comment vous exprimer ? Je
ne conçois pas l'existence sans Madeleine. Je ne
vivais pas avant de la rencontrer. Je croyais, jusqu'à il y a cinq ans, que mes travaux constituaient
l'essentiel de mes préoccupations, que rien jamais

ne pourrait leur être préféré et puis, Madeleine est venue... Aujourd'hui je suis prêt à renoncer à tout pour ne pas perdre Madeleine...

Je l'écoutais, les mâchoires serrées. Je savais que Madeleine ne l'aimait pas et qu'elle restait près de lui par pitié, peut-être par reconnaissance... C'est moi qu'elle aimait et personne d'autre ! C'est moi qu'elle aimait et elle était dans la maison du savant, grotesque, que je haïssais ou mieux, que j'aurais souhaité pouvoir haïr... Je n'éprouvais aucun remords de l'avoir trompé et ce d'autant plus que j'ignorais son existence en tant qu'époux de Madeleine et je ne blâmais pas ma bien-aimée de l'avoir trompé... Ce serait trop facile vraiment qu'on ait droit à l'amour sous prétexte qu'on aime. Montanay m'exaspérait avec sa litanie amoureuse. Je sentais approcher le moment où je ne pourrais plus me tenir, où je lui exprimerais brutalement ce que j'avais sur le cœur, et qu'il n'avait pas le droit de contraindre Madeleine à vivre auprès de quelqu'un qu'elle n'aimait pas ! Pendant ce temps, insensible au danger qui le menaçait, il continuait à anonner ses assurances geignardes ! Ce professeur que je jugeais si sympathique quelques instants plus tôt, m'apparaissait maintenant sous les traits de ces vieillards de comédie qui, en s'appuyant sur leurs écus, se croient le droit de s'approprier les filles qui leur plaisent ! Insensible à la tension qui montait entre nous, Montanay continuait à divaguer sur ses amours... Excédé, prêt à tout, je lui empoignai le bras :

— Taisez-vous et écoutez-moi !

Mon état était tel que les mots expirèrent sur ses lèvres et qu'il me contempla avec des yeux ronds.

J'ignore de quelle façon eût tourné l'entretien si Colette n'était revenue accompagnée de sa sœur qui, quoique pâlie, semblait remise de ce que les autres prenaient pour une indisposition. Pas encore bien sûre d'elle, elle évitait de me regarder tout en feignant cependant de s'adresser à moi pour présenter des excuses que je n'écoutais pas, trop attaché à scruter ce visage qui depuis deux ans hantait mes jours et mes nuits. Madeleine n'avait pas changé. Je la retrouvais telle que je la portais en moi, au plus profond de mon âme, au plus profond de ma chair. J'envisageai une seconde d'affronter le scandale et devant tous de la prendre dans mes bras. Après, il arriverait ce qu'il arriverait ! Mais le regard affolé qu'elle me jeta — comme si elle devinait mes intentions — me fit renoncer à mon projet. Avec un pauvre sourire qui tremblait aux commissures des lèvres, ma bien-aimée se tourna hardiment vers moi. Aux légères gouttes de sueur perlant à ses tempes, je comprenais l'effort qu'elle s'imposait :

— Monsieur Norrey, je suis honteuse... de vous avoir imposé cet... intermède ridicule... Je me demande ce que vous allez penser de moi ?

— Je vous en prie, madame... Je ne saurais vous tenir rigueur de votre fatigue.

— Vous êtes trop aimable... Eh bien ! Pierre, c'est vous maintenant, qui n'êtes pas à votre aise ?

De fait, le professeur nous donnait l'impression de passer un mauvais moment. Pâle, la respiration légèrement oppressée, il s'appuyait sur le guéridon Second Empire occupant le centre de la pièce. Il répondit d'une voix atone :

— Tu m'as infligé une telle peur, ma chérie... et je crois, ma foi, je crois que je suis parvenu à communiquer mon angoisse à notre ami Norrey si j'en juge par la manière dont il m'a agrippé le bras ! Vous devez être d'une jolie force, Norrey, et je sens que je porterai longtemps la marque de... de votre compréhension !

Cette réflexion détendit l'atmosphère et Colette nous servit l'apéritif pendant que nous nous décidions enfin à nous asseoir. Au fur et à mesure que les minutes s'écoulaient, je constatais que Madeleine surmontait sa panique. Toutefois, quand nos regards se croisaient, elle rougissait. De son côté, Montanay, loin de soupçonner le drame dont sa femme et moi étions les protagonistes, avait repris du poil de la bête et me brossait un tableau de Poitiers que personne n'écoutait. Lancé dans un sujet qui devait lui tenir à cœur, le professeur se contentait de quelques vagues onomatopées approbatives pour continuer sur sa lancée. De son côté, je n'avais pas d'inquiétude à nourrir. Par contre, il n'en était pas de même en ce qui concernait Colette. Elle n'avait pas été dupe du pseudo-malaise de sa sœur et très visiblement se demandait ce que cela signifiait. A plusieurs reprises, soit par des mouvements brusques de la tête, soit avec la complicité de miroirs, je la surpris m'épiant à la dérobée. Cette rusée sentait sans doute qu'il existait un rapport entre ma présence et le trouble de Madeleine. Je craignais qu'elle n'eût de cesse avant de l'avoir trouvé. Il faudrait que je me surveille quand elle serait là.

Sur l'invitation de la femme de chambre-cuisinière, Jeanne, nous passâmes à table où j'eus Colette à ma gauche et Madeleine à ma droite. Je me souvenais des remarques de Bussonnet concernant la beauté de ces deux femmes. Il ne s'était pas trompé, le bougre, en fin connaisseur qu'il est. Peut-être la beauté de Colette s'affirmait-elle plus aguichante à cause de la vivacité de la jeune fille... Moi, bien sûr, je me sentais davantage touché par celle de Madeleine, parce que je l'auréolais de mes souvenirs, auxquels sa présence si proche donnait une vigueur nouvelle.

Je ne me souviens même plus de ce qui nous fut servi au cours de ce déjeuner où Madeleine et moi laissions aux autres le soin d'entretenir une conversation languissante. Il est vrai que Montanay, bavard comme ceux qui passent le plus clair de leur temps dans le silence de la recherche, parlait tellement que, même si nous en avions manifesté l'intention, nous aurions eu des difficultés à placer un mot. L'attaque vint de Colette.

— Monsieur Norrey... Il y a quelque chose qui n'est pas normal !

Je sursautai. Cette peste allait-elle déclencher le drame que Madeleine et moi nous efforcions d'éviter ?

— Où cela, mademoiselle ?

— Dans votre comportement !

Sa sœur protesta d'une voix étouffée, tandis que le professeur excusait sa jeune parente.

— Mon cher Norrey si, comme j'en suis persuadé et comme je le souhaite, vous devenez un familier de notre maison, il faudra vous faire aux manières de notre Colette et à sa mauvaise éducation.

— Mon cher professeur, vous savez bien qu'une jolie femme peut tout se permettre.

Colette me remercia ironiquement de cette platitude et comme je ne tenais nullement à lui laisser l'initiative, j'attaquai à mon tour. Si elle savait ou avait deviné quelque chose, j'entendais lui montrer qu'elle ne m'intimidait pas.

— Puis-je vous demander, mademoiselle, en quoi mon comportement vous paraît anormal ?

— D'ordinaire, nous autres, pauvres provinciaux, lorsque nous avons l'aubaine de recevoir un Parisien, nous n'ouvrons pratiquement pas la bouche, trop occupés à écouter les nouvelles et les potins de la capitale. Or, depuis que nous nous sommes assis à cette table vous n'avez pas dû prononcer plus d'une vingtaine de mots et au lieu de nous donner des nouvelles de Paris, vous avez laissé mon beau-frère vous donner des nouvelles de Poitiers ! Vous ne croyez pas que je suis fondée de juger la chose anormale ?

Avant que je n'aie pu répondre, Montanay intervint :

— Norrey, mon bon, vous venez d'avoir là un parfait exemple de la tactique de cette rouée de Colette, quand elle souhaite dire quelque chose de désagréable à quelqu'un sans rompre la courtoisie. Contrairement à ce que vous pourriez imaginer, son discours ne s'adressait pas à vous mais à moi ! C'est ce que j'appelle l'attaque indirecte. En vous reprochant votre mutisme, elle blâme mon interminable bavardage ! Que dites-vous de cette hypocrisie ?

— Qu'elle est admirable !

Nous rîmes, Madeleine et moi, en nous forçant un peu. Mais Colette ne se tint pas pour battue.

— Je conviens, Pierre, que lorsque vous vous lancez dans vos monologues sur les douceurs provinciales, vous êtes intarrissable mais, pour une fois, vous vous êtes trompé et c'était bien à M. Norrey que j'en avais ! M. Norrey qui vit à Paris et qui ne trouve rien à nous dire de Paris ! Je vous jure que lorsque je vous regarde vivre, Pierre, quand je constate votre indifférence, monsieur Norrey, à tout ce qui fait l'agrément de la vie, je n'ai plus du tout envie de me marier avec Jacques, de peur qu'il ne devienne comme vous, ses aînés, un cœur sclérosé par les chiffres !

Le professeur poussa une sorte de hennissement de joie triomphante.

— Un cœur sclérosé ! Tant pis, Norrey, je trahis le secret, mais puisque vous ne m'avez donné ni noms, ni coordonnées, ce demeurera encore un secret et puis il importe que je ferme le bec de cette oiselle agressive ! D'accord ?

Je haussai les épaules pour bien montrer que je me désintéressais de la question, mais au fond pas fâché de constater l'effet que le récit de son mari produisait sur Madeleine. Et voilà Montanay parti dans l'histoire de mes amours de Brouage. Au fur et à mesure qu'il parlait, je voyais pâlir ma bien-aimée tandis que ses doigts, sur la nappe, pétrissaient des boulettes de mie de pain. Colette, surprise, me contemplait d'un regard neuf.

— Cette rencontre aurait pu être une aventure banale comme il y en a tant, si notre ami Norrey n'était demeuré obstinément fidèle à cette femme qui, en quelques heures, se l'était attaché à jamais. Il ne l'a plus revue. Sans doute ne la reverra-t-il jamais... Excusez-moi, Norrey... mais, il lui demeurera fidèle parce dans cette fidélité se résume l'amour qui emplit sa vie et lui donne un sens. Alors, mademoiselle, qu'est-ce que vous dites de ce cœur sclérosé ?

— C'est tellement incroyable... à notre époque... naturellement, monsieur Norrey, je vous demande pardon... et... et vous ne détestez pas cette femme qui, en somme, a brisé votre vie ?

— Comment lui en voudrais-je puisque je l'aime ?

Colette demeura un instant songeuse, puis :

— Vous avez gagné, Pierre, je suis capot. Nous nous voulons plus affranchies que nos aînées, nous faisons profession de railler ces attachements romantiques que nous prétendons démodés, mais... mais, ce n'est pas vrai, monsieur Norrey et, quand il nous arrive — comme c'est mon cas en ce moment — d'apprendre qu'il y a encore des hommes capables de ces grandes tendresses, nous sentons notre pauvreté... Ce n'est pas ton avis, Madeleine ?... Madeleine ! qu'est-ce qui te prend ?

Le visage baigné de larmes, Mme Montanay essayait maladroitement de sourire et ne parvenait qu'à grimacer. Elle bafouilla :

— Cette histoire m'a bouleversée...

Je ne me rappelle plus la fin du repas, sinon que je l'ai vécue dans une espèce d'état second et qu'elle me parut interminable. Mon départ ressembla à une fuite.

La porte de ma chambre s'ouvre doucement et je reconnais le visage inquiet de Bussonnet qui, en dépit de mon interdiction, est quand même monté pour se rendre compte de mon état. Il s'approche de mon lit sur la pointe des pieds. Je désirerais me dresser pour le flanquer dehors, mais j'ai bu presque toute la bouteille de whisky et je suis incapable de bouger. Quand il se penche vers moi, j'ouvre un œil que je voudrais sévère et qui n'est, sans doute, que pitoyable.

— Qu'est-ce que tu as ?

— ... fous-moi la paix !

Il prend la bouteille, la soulève, pousse un soupir.

— Eh bien ! mon vieux... tu es soûl ?

— ... mon affaire !

— Olga est aux cent coups !

— ... brave cœur... l'aime bien... Ol... Olga.

— D'accord ! mais c'est quand même pas à cause d'elle que tu t'es cuité ?

— ... te regarde pas... veux dormir...

— Bon... mais, je t'avertis, demain il faudra que tu m'expliques ! Si c'est pas malheureux de se mettre dans des états pareils ! J'espère que ce n'est pas encore à cause de ta bonne femme de Brouage ?

En dépit de l'ivresse qui m'embrume le cerveau, je savoure le paradoxe de la situation. J'éructe un rire idiot.

— Si...

— Continue comme ça et tu es mûr pour l'asile ! Tu as de la chance d'être soûl, sinon tu aurais affaire à moi !

— Mon vieux Bubu... je t'em...

— Cause toujours ! on réglera ça demain !

Outré, il sort, plein d'une vertueuse indignation. Après son départ, je sombre dans une torpeur traversée de cauchemars qui m'inondent de sueur fiévreuse. Je reprends pied dans la réalité vers 5 heures du matin avec un bouche en palissandre où ma langue me semble être un corps étranger tenant du carton et de l'étoupe. Je me lève difficilement. Une migraine carabinée me flanque des vertiges et j'ai toutes les peines du monde à me rendre jusqu'au lavabo, où j'avale un demi-litre d'eau fraîche avec quatre comprimés d'aspirine. Je retourne me coucher et me rendors, apaisé.

Quand je me réveille, pour de bon cette fois, je suis un autre homme qui a un peu honte de ses excès. Comme si l'alcool avait jamais pu changer quoi que ce soit à quoi que ce soit ! Ma migraine s'est nettement atténuée, je recommence à pouvoir déglutir. Je procède à ma toilette et lorsque je me suis débarbouillé, rasé, j'ose me regarder dans la glace et le spectacle n'est pas très réconfortant. En tant que Roméo ou don Juan, il y a nettement mieux ! J'allume une cigarette et avant de descendre subir la semonce qui m'attend, je m'installe dans le fauteuil, qui est l'ornement de cette chambre réservée aux amis et je me mets à réfléchir. C'est un tantinet pénible au début, puis la mécanique recommence à fonctionner. Une chose me semble certaine : je ne peux pas enquêter près de Madeleine. Sa présence me paralyse. Je sens bien qu'en dépit d'hypothétiques efforts, je manquerai de l'impartialité voulue pour aboutir à un résultat positif. Je voudrais que Montanay soit le coupable pour être débarrassé de lui et en même temps, par crainte du mal que cela infligerait à celle que j'aime, je souhaite l'innocence de son mari. Je ne peux pas m'en sortir. D'autre part, il est évident que, troublée comme elle l'était hier, Madeleine finira par tout avouer à cette fine mouche de Colette et alors, adieu notre secret. Il faut que je m'en aille, c'est la seule solution.

Lorsque je me lève pour descendre dans la salle du café afin d'y absorber un café bien fort et y recevoir les reproches de mes amis, je suis décidé à prendre congé de Montanay par téléphone en lui racontant que je suis rappelé d'urgence à Paris. Certes, il y a des chances pour que M. Dumolard prenne très mal la chose et mette un terme à ma carrière d'agent secret mais, en vérité, cela m'est égal, je ne possède plus le feu sacré.

En entrant dans la salle de café, je me heurte à un Bussonnet qui me fixe d'un œil noir.

— Alors, monsieur a fini par cuver sa cuite ?

— Merci, oui.

Il explose.

— Merci ! il a le culot de me dire : merci ! Olga se fait un mauvais sang d'encre, te voyant déjà aux portes d'une mort délibérément choisie — ce qui entre parenthèses aurait eu un bon effet pour la réputation de ma maison ! — tu me reçois comme un chien dans un jeu de quilles et tout ce que tu trouves à dire, c'est merci ?

— Ecoute, Robert...

— Justement ! Je ne demande pas mieux que de t'écouter si tu ne tiens pas à ce que je renie notre amitié ! Car c'est la première fois, tu entends, Guillaume ? la première fois qu'un client prétend me foutre à la porte de chez moi !

— Je ne savais pas ce que je disais.

— Tu ne sembles pas davantage savoir ce que tu fais !

— Un peu vache, ce que tu dis là... au lieu de me chercher une mauvaise querelle, tu ferais mieux de me préparer une tasse de café très fort.

Il lève les bras au ciel.

— Voilà que c'est moi qui lui cherche une mauvaise querelle, alors qu'il m'a traité comme le derniers des derniers ! Elle est raide celle-là ! Bon ! Je vais te le préparer ton café mais après, que ça te plaise ou non, il faudra que tu t'expliques !

Je le lui promis.

Le café était fort, si fort que j'eus quelque peine à l'avaler. Assis en face de moi, l'ami Bussonnet paraissait bien décidé à ne pas me laisser me défiler.

— Vas-y... je t'écoute !

— Eh bien ! mon vieux, je m'en vais...

— Tu t'en vas ? et où t'en vas-tu ?

— Je rentre à Paris.

— Non ?

— Si.

— Tu n'essaies quand même pas de me faire croire que tu as résolu le problème qui t'a amené ici ?

— Bien sûr que non.

— Alors, pourquoi repars-tu ?

— Tout simplement parce que je n'ai pas envie de continuer.

Bussonnet m'examina avec un certain apitoiement.

— Tu es certain d'être complètement dessoûlé ?

— Si je ne l'étais pas, avec un pareil extrait de café...

— Alors, tonnerre de nom de chien, cesse de me prendre pour un cornichon et dis-moi pour quelles raisons, à peine arrivé, tu repars ?

— Parce que j'ai déjeuné hier chez Montanay.

Robert se leva, se précipita derrière son comptoir, se versa un verre de Chinon qu'il vida d'un trait et, ayant repris haleine :

— Tu vois, je suis calme, mais ce calme ne va pas tellement durer si tu continues à te payer ma tête !

Faussement menaçant, il s'avançait vers moi, lorsqu'il suspendit sa marche tandis que ses yeux se dessillaient sous l'effet de la surprise : Madeleine Montanay poussait la porte vitrée donnant sur le boulevard.

— Pourquoi avez-vous fait ça ?

Dans la chambre où, faute de salon, un Bussonnet à moitié paralysé par l'incompréhension, nous avait introduits, Madeleine m'interrogeait sèchement.

— Fait... quoi ?

— Ne jouez pas les sots ! Autant que je me souvienne, vous ne l'étiez pas à Brouage !

— C'est tout ce que vous vous rappelez de Brouage ?

— Je vous en prie ! La question n'est pas là !

— Vous voudrez bien m'excuser, madame, mais pour moi elle est là et seulement là !

Elle ricana.

— Ah ! oui, cette attendrissante histoire de fidélité...

Alors, à mon tour, la moutarde me monta au nez.

— Il se peut que ce genre d'histoire vous amuse, pas moi. Il est possible qu'à Brouage vous n'ayez voulu que vous divertir à mes dépens, mais moi j'ai marché et vous ne pouvez pas deviner à quel point ! J'ai essayé de vous oublier mais j'ai eu moins de chance que vous, je n'ai pas réussi ! Sans doute, le manque d'habitude... tandis que vous...

— Ne soyez pas grossier !

— Et pour quelles raisons ne serais-je pas grossier quand je vous entends vous moquer de ce qui est ma raison de vivre depuis deux ans ?

— N'exagérez pas !

Maintenant la colère me nouait les muscles. Je l'eusse volontiers frappée.

— Votre cynisme... Dire que j'ai tant rêvé à vous... pour en arriver à vous voir sous un tel jour...

Elle me parut gênée et son ton perdit de son agressivité.

— Que j'aie été sincère ou pas, ne vous autorisait pas à manquer à vos engagements de ne pas tenter de me revoir !

— J'avoue que j'ai cherché votre trace pendant des mois... mais vous aviez bien effacé votre piste... et puis j'ai abandonné...

— Dans ces conditions, comment avez-vous su que j'habitais Poitiers ?

— Je l'ignorais.

— Vous mentez !

— Permettez, madame ! S'il y en a un ici qui ment ou qui a menti à l'autre, ce n'est pas moi ! Si je m'étais douté que vous viviez à Poitiers, soyez assurée que je serais venu beaucoup plus tôt et que je n'aurais pas attendu deux ans pour vous relancer ! Vous ne pouvez donc pas comprendre que je vous aime ? et que quand on aime, tout ce qui n'est pas votre amour vous indiffère ?

— Je ne parviens pas à croire à un pareil hasard...

— J'ai bien cru, moi, à celui qui nous réunit à Brouage ?

— Je vous demande de ne plus me parler de Brouage...

— C'est difficile de ne pas parler de ce qui vous tient le plus à cœur, surtout quand on rencontre celle dont on imaginait qu'elle partageait votre fièvre. Brouage, madame, c'est tout ce qui me reste de vous... Je n'ai pas votre faculté d'oubli... Vous voudrez bien me le pardonner.

— Vous me jurez que votre arrivée chez moi n'était pas calculée ?

— Figurez-vous, madame, que dans l'électronique, lorsqu'on sollicite un poste auprès d'un patron aussi connu que votre époux, on ne se permet pas de lui demander des renseignements sur sa femme... J'ajouterai que quand on a affaire avec un homme de l'âge du professeur Montanay, on imagine mal qu'il ait une épouse de votre âge. Que vous l'acceptiez ou non, rien ne m'incitait à penser que j'avais la moindre chance de vous rencontrer à Poitiers.

Elle ne me répondit pas tout de suite mais je la devinais ébranlée.

— En admettant que vous disiez la vérité...

— Dans votre bouche, madame, cette remarque ne manque pas de sel.

Elle continua, négligeant l'interruption :

— ... je vous demande de quitter Poitiers.

Oubliant que telle était mon intention quelques instants plus tôt, je m'indignai de cette proposition :

— Simplement ? Sans doute vous proposez-vous

de m'allouer une rente pour remplacer mon salaire dans le laboratoire de votre mari ?

— C'est justement là que je ne comprends pas. Pour que mon mari vous ait choisi, il faut admettre que vous possédez des titres suffisants et dans ces conditions pourquoi vous enterrer à Poitiers où vous ne serez jamais qu'un second ?

— Je pourrais vous répondre qu'il me plairait d'être le second du professeur Montanay, mais beaucoup plus simplement je ne suis là que pour l'aider à terminer les travaux qu'il a entrepris depuis deux ans.

— Et... cela risque d'être long ?

— Quelques mois.

— Ce n'est pas possible ! Il trouvera quelqu'un d'autre, partez, je vous en prie !

— Pourquoi ?

— Parce que je redoute que mon mari ne s'aperçoive de quelque chose, qu'il puisse deviner ce qui s'est passé entre nous... Pierre en souffrirait tellement...

— Il aurait mieux valu y penser avant, non ?

— Ce n'est pas très généreux de votre part... Bien sûr... Je ne sais pas encore ce qui m'a pris... Sans doute l'histoire de Marie Mancini... En tout cas, je puis vous assurer que cette triste aventure m'était complètement sortie de l'esprit et qu'il a fallu que je vous retrouve devant moi pour y repenser et en avoir honte...

— Honte ?

— Oui, honte ! car, quoi que vous en puissiez croire, ce n'est pas dans mes habitudes de tromper Pierre. J'ai commis cette unique faute, il y a deux ans et j'en suis écœurée... Alors, quand vous venez jouer les amoureux transis, les amants romantiques vivant avec leur mélancolie... vous me donneriez envie de rire si votre seule présence ne me rappelait une aventure qui m'humilie.

Tous ses mots me brûlaient, me déchiraient... En

deux ou trois minutes, elle venait de ficher en l'air deux années de ma vie... Je n'éprouvais plus qu'un désir : qu'elle s'en aille... le plus vite possible. Je me laissai tomber sur le lit.

— C'est bon... vous avez gagné, madame... je m'en irai demain. Dès cet après-midi, je verrai le professeur pour lui annoncer ma décision. Maintenant, si vous voulez bien me laisser seul ?

— Pas avant de vous avoir remercié.

— Remercié ? C'est à moi, madame, de vous remercier de m'avoir démontré que lorsqu'un homme de mon âge croit à la sincérité d'une femme lui disant qu'elle l'aime, il n'est qu'un sot.

Elle ne répliqua point et gagna la porte, mais au moment de sortir, elle se retourna et d'une voix qui me brûla parce que c'était sa voix de Brouage :

— Guillaume...

Je relevai la tête.

— Guillaume, c'est vrai que je vous ai menti... mais c'est aujourd'hui que j'ai menti, pas à Brouage... Guillaume, je ne suis pas heureuse auprès d'un mari que je respecte sans l'aimer... un mari qui m'a arrachée à la médiocrité, ainsi que ma jeune sœur, un mari à qui je n'ai pas le droit de causer la moindre peine... Guillaume, moi non plus je n'ai jamais oublié Brouage... Ce n'est pas vrai que j'en ai honte... C'est la seule lumière qu'il y ait jamais eu dans ma vie... Je vous aime, Guillaume et je n'aimerai jamais que vous... c'est pour cela que je vous supplie de partir.

Olga — qui est très à cheval sur les principes — s'apprêtait, sans aucun doute, à m'adresser des remarques sévères sur le fait que des dames poitevines s'en venaient me voir chez elle et que je les recevais dans une chambre mais, la vue de mon visage l'empêcha de donner libre cours à son irritation. Elle me laissa passer devant sa caisse sans chercher à m'arrêter. Bussonnet montra plus d'audace.

— Eh bien ! mon vieux, tu ne manques pas de souffle ! Tu arrives, tu vas déjeuner chez une notabilité de la ville et, le lendemain matin, la maîtresse de maison qui t'a reçu te relance à domicile ! Compliments ! Roméo et *tutti quanti* peuvent aller se rhabiller ! Des enfants à côté de toi ! Seulement, j'avoue que tu m'as bien eu avec ta dame de Brouage, celle à laquelle tu ne pouvais t'empêcher de penser, celle sans laquelle la vie te semblait aussi fade qu'un plat d'épinards sans sel !

— Je n'ai pas changé d'avis, Robert !

— Vraiment ! Tu l'entends, Olga ? Et Mme Montanay, alors ? Qu'est-ce qu'elle fiche dans ton idylle ?

— C'est elle que j'ai rencontrée à Brouage.

Mon bon Bussonnet en vacilla tandis que, derrière moi, Olga exhalait un gémissement où la stupeur se mêlait à la pitié et à l'intérêt. Robert ne pouvait que répéter :

— Ça alors... ça alors !...

Puis, recouvrant ses facultés de raisonnement, il s'enquit, soupçonneux :

— Tu retrouves la femme que tu cherches depuis deux ans et, sitôt que tu y as mis la main dessus, tu fiches le camp ?

— Exact.

— Alors là, je ne comprends plus ! Et toi, Olga, tu comprends ?

Non, la tendre Olga ne comprenait pas, car les histoires d'amour qui ne finissent pas bien la scandalisaient. Robert crut avoir trouvé la solution :

— Elle ne t'aime plus ?

— Au contraire ! maintenant, je sais qu'elle m'aime vraiment.

— Et tu t'en vas ?

— Et je m'en vais.

Bussonnet se tourna vers sa femme.

— Olga, je m'en vais moi aussi, mais seulement dans la cuisine préparer ma lotte à l'américaine... Si ce monsieur (et il me désignait du menton) demandait après moi, tu lui répondras que j'irai lui rendre visite quand on l'aura enfermé chez les dingues, mais que pour l'instant, je n'ai pas de temps à perdre à essayer de deviner si cet individu jouit ou non de tout son bon sens.

Avant de s'enfoncer dans l'antre où il prépare ses savantes combinaisons gastronomiques, mon hôte s'adressa encore une fois à sa femme :

— Mais si tu tiens à connaître mon avis, Olga, ton ami Guillaume est complètement percuté et qu'on puisse permettre à un type de cette sorte de tripatouiller dans les atomes, les trucs nucléaires et tout leur sacré machin, ça me coupe en deux ! En tout cas, si un jour, la planète nous pète sous les pieds, on n'aura pas besoin de se demander pourquoi !

Au fur et à mesure que j'approchais de la rue du Cuvier, mon goût du martyre s'affaiblissait. Comment m'y prendrais-je pour expliquer au professeur qu'à peine arrivé, il me fallait repartir ? Quel motif, suffisamment valable pour faire admettre que je puisse renoncer à une situation risquant de me couvrir de gloire, serais-je capable d'invoquer ? Et puis, tout doucement s'insinuait en moi le doute quant au bien-fondé de mon comportement. Avais-je si longtemps attendu Madeleine pour renoncer à elle du premier moment où je la revoyais enfin ? Bien sûr, elle m'avait supplié de repartir, mais était-elle sincère ? Ne me tiendrait-elle pas rigueur de lui avoir obéi ? Ne jugerait-elle pas cette soumission, plus comme une preuve d'indifférence que comme un témoignage d'amour ? Les hommes ne sont jamais à court de mauvaises raisons quand il s'agit de justifier leur conduite et, presque inconsciemment, ils savent leur donner les apparences de motifs excellents. Enfin, argument essentiel : est-ce qu'en obtempérant au désir — vrai ou simulé — de Madeleine, je ne trahissais pas, par le truchement d'une mission abandonnée, au-delà de la confiance de M. Dumolard, ma patrie ? Quel remords ne serait pas le mien si, dans le laps de temps devant s'écouler entre mon retour et l'envoi d'un nouvel agent — qui obligatoirement n'aurait pas les mêmes introductions que moi auprès du professeur — et verrait, de ce fait, sa tâche terriblement compliquée, Montanay aboutissait et si sa découverte passait entre les mains de nos adversaires ? Non, en vérité, plus la distance diminuait entre le laboratoire et moi, moins je me sentais disposé à tenir la promesse faite à Madeleine. Pour si excellentes que me parussent les raisons que je me donnais en abondance, une pointe de regret me chatouillait assez désagréablement : pour la première fois où Madeleine me demandait quelque chose, accepterais-je de la décevoir ? Les confidences qu'elle m'avait livrées et qui m'enchantaient, elle ne s'y était décidée que parce que j'avais promis de partir. Une sorte de viatique en somme. Rester maintenant devenait une escroquerie. Mais la quitter après ce tendre aveu d'un amour partagé...

Afin de reculer encore un peu l'instant d'une décision, qui ne permettrait plus le recul, j'entrai dans un café proche du laboratoire et m'assis à une table dans le coin le plus obscur. Mon arrivée passa inaperçue, car les consommateurs, agglomérés au comptoir, écoutaient l'un d'entre eux qui pérorait et en qui je reconnus Antoine Fenioux, le concierge. D'une voix légèrement avinée, un buveur continuait une discussion vraisemblablement commencée depuis pas mal de temps, sans que j'en puisse deviner les sources, que les discuteurs ne se rappelaient sûrement pas davantage.

— En tout cas, t'as beau prendre tes grands airs, Antoine, tu m'intimides pas ! Et c'est pas parce que tu me regardes de haut que tu raisonnes juste ! Et v'lan !

Ce « et v'lan » mettant un point final à une démonstration jugée irréfutable, trahissait la satisfaction de l'argumentateur. Mais Fenioux n'entendait pas baisser pavillon aussi facilement :

— D'abord et d'une, Marcel, je vais te confier une bonne chose : t'as pas d'éducation et quand on n'a pas d'éducation, on peut pas raisonner sur les problèmes politiques !

Il y eut un murmure qui semblait approuver Antoine, tant il est vrai que le prestige de l'instruction exerce son empire sur les âmes simples. Sentant souffler le vent de la défaite, le nommé Marcel regimba :

— Pas d'éducation... pas d'éducation, c'est vite dit ! Faudrait encore le prouver, et v'lan !

Je dus convenir que le « et v'lan », cette fois manquait quelque peu de conviction. Antoine en profita :

— J'ai mon certificat d'études ! Et toi, Marcel, tu l'as ton certificat d'études ?

Il se fit un court silence pendant lequel Marcel devait se demander s'il pouvait ou non se permettre de mentir. Mais, poussé par une honnêteté naturelle, ou la crainte d'être démenti par de trop vieux copains, il opta pour la franchise.

— Non, j'l'ai pas le certificat... mais ça prouve rien... Napoléon non plus il l'avait pas son certificat d'études ! et v'lan !

Certain de porter le coup de grâce, le sieur Fenioux répliqua méprisant :

— Il l'avait pas parce que de son temps, le certificat d'études on l'avait pas encore inventé, allez à la bonne vôtre, les gars !

Le rire satisfait qui courut comme un friselis parmi les buveurs marquait la déroute du contradicteur réduit à quia, mais ce Marcel, mauvais perdant, lança à pleine gorge :

— Ça se peut que je l'aie pas le certificat d'études, mais moi, sans mon certificat d'études, je fais pas un métier de fainéant ! et v'lan !

De nouveau un silence — mais plus épais, plus grave, plus chargé de menaces que le précédent —

écrasa les buveurs. Antoine écarta posément ceux qui s'intercalaient entre son adversaire et lui. Je crus à une empoignade à brève échéance.

— Alors, comme ça, t'as osé me traiter de fainéant, Marcel ?

— Je dis que pour faire ce que tu fais, moitié larbin, moitié balayeur, faut être fainéant, c'est tout ! et v'lan !

— Avant de causer, mon pauvre, tu serais bien inspiré de te renseigner sur mes responsabilités ! Par hasard, est-ce que tu saurais que j'ai la charge d'un laboratoire où le professeur s'occupe à des recherches qui pourraient révolutionner le monde ?

Marcel — un petit gros avec une épaisse moustache qui lui mangeait tout le bas du visage — éructa insolemment à la face de son vis-à-vis avant de remarquer :

— Tu causes de tout et de rien comme ça pour nous en mettre plein la vue, mais si ton patron il cherche des choses, il est pas allé t'appeler pour te demander ton avis ! Et tu sais même pas ce qu'il cherche ton patron ! et v'lan !

— Je le sais pas ?

— Non, tu le sais pas !

— Tu te permets de dire, devant tout le monde, que je le sais pas ?

Après avoir pris une inspiration profonde, Antoine promena un regard souverain sur ses auditeurs et lâcha, dédaigneux :

— Un nouveau carburant.

Je sursautai. Ainsi, ce grand secret que les adjoints immédiats de Montanay — Stepanic et Moriss — étaient censés ignorer, le concierge le connaissait ? Pour une fois, M. Dumolard avait mal pris ses renseignements et les choses risquaient de se compliquer si les soupçons de mon successeur devaient se porter non plus sur trois ou quatre suspects, mais bien sur un nombre que nul, pour l'heure, ne pouvait fixer. La révélation d'Antoine avait été suivie de ce brouhaha d'intérêt, indiquant au conférencier qu'il a su passionner l'assistance. Quelqu'un s'enquit :

— Quelle sorte de carburant ?

J'étais curieux de connaître jusqu'où allaient les renseignements de Fenioux mais, peut-être prenait-il conscience qu'il avait trop parlé, car il se cantonna dans une prudente réserve.

— C'est un secret d'Etat... alors vous comprendrez que je puisse pas vous en raconter davantage, hein ? Allez, à votre santé, les gars !

On trinqua, mais le nommé Marcel qui, décidément, n'acceptait pas sa défaite, relança le débat en feignant de conclure :

— Secret ou pas, ça n'empêche pas que t'es jamais qu'un concierge, et v'lan !

Antoine s'essuya les lèvres du dos de la main avant de rétorquer :

— Mets-toi bien dans ta petite tête, Marcel, que si je reste concierge, c'est que je le veux bien !

Marcel eut un rire cynique.

— Tais-toi, Antoine, tu me fais mal ! J'ai eu un oncle, il était cantonnier et à qui voulait l'écouter, il affirmait que s'il avait voulu il aurait pu être ingénieur des ponts, seulement il est quand même resté cantonnier toute sa vie et il est mort cantonnier comme tu mourras concierge, et v'lan !

— Je vais te confier une bonne chose, Marcel, ton oncle je l'ai pas connu et ce qu'il a fait ou qu'il a pas fait, je m'en fous ! Je sais seulement qu'il tient qu'à moi d'en avoir plein les poches !

Je bénissais mon indécision qui m'avait poussé à entrer dans ce café.

— Cause toujours...

— Et même, je pourrais m'acheter une maison dans le Midi et vivre de mes rentes... J'aurais qu'un mot à dire ! Mais voilà, j'aime bien Poitiers...

— Ouais... et puis de l'argent, t'aime peut-être pas en avoir ? et v'lan !

— Pas d'argent ? Pauvre minable ! Et ça, qu'est-ce que c'est ?

D'un geste théâtral, Antoine sortit de sa poche revolver, une liasse de gros billets qu'il brandit sous le nez de Marcel que la surprise rendit muet avant qu'il ne désertât le combat en s'en allant dans l'indifférence générale. Pour moi, je ne tenais pas à ce que le concierge remarquât ma présence et, laissant de la monnaie sur la table, je me glissai dehors. Qu'est-ce que tout cela signifiait ? Par quels moyens Fenioux se procurait-il cet argent ? Il était tentant de sauter tout de suite aux conclusions et de penser que maître du laboratoire, lorsque Montanay et ses aides l'avaient quitté, il lui était loisible de prendre tous les clichés qu'il désirait. Seulement cette hypothèse se heurtait à des impossibilités majeures : Antoine se trouvait dans l'incapacité absolue et de manier un appareil photographique pour microfilms et de choisir parmi les brouillons du professeur ceux qui présentaient un intérêt pour les chercheurs rivaux. Il apparaissait plus sage d'admettre que Fenioux facilitait la tâche de quelqu'un d'autre et qu'on lui payait largement ses complaisances.

Cette aventure montrait à quel point le hasard joue un rôle primordial dans notre métier. J'aurais pu piétiner des mois et des mois et voilà que tout d'un coup, comme par miracle, la solution du problème à résoudre m'était offerte. Je ne doutais pas qu'un homme comme le concierge, un peu vivement interrogé, ne fît aucune difficulté pour me livrer le nom de son employeur. Je ne pensais plus du tout à regagner Paris. Repris par l'instinct de la chasse maintenant que j'avais flairé le gibier, Madeleine et ses scrupules passaient au second plan. Je m'en irais lorsque j'aurais démasqué celui qui vendait les travaux du professeur Montanay à qui désirait les acheter. D'un pas qui ne ressemblait en rien à celui qui était le mien quelques minutes plus tôt, je me rendis au laboratoire.

La journée se passa sans incident. Chacun — et notamment Jacques Larcat — mit la plus grande complaisance à faciliter mon installation. Dès le début de l'après-midi, je pus commencer à me familiariser avec les travaux de Montanay qui, tout de suite, me frappèrent par l'originalité de leur orientation. Je le dis au professeur qui en marqua un contentement évident. Il me frappa amicalement sur l'épaule :

— Merci, Norrey... Nous autres, hommes de science, nous ressemblons aux gosses en ce sens que nous aimons bien les compliments. Et puis, vos remarques flatteuses me portent à oublier mes soucis... Je vous en sais infiniment gré, Norrey.

— Pas de trop graves soucis, j'espère ?

— Oh ! il s'agit de ma femme...

— Vraiment ? Mme Montanay n'est pas souffrante, au moins ?

— Je n'en sais rien, justement... Vous vous souvenez de cette fatigue subite dont elle a témoigné hier, lors de son arrivée ?

— En effet... mais je pensais à un malaise passager ?

— Moi aussi... Cependant, tout à l'heure, au repas, elle m'est apparue complètement bouleversée, sans que je puisse la persuader de me confier la raison de son trouble... Ma pauvre Madeleine me semble complètement désaxée en ce moment et j'enrage de ne pouvoir lui être d'aucun secours.

— Mais Mlle Colette est auprès d'elle ?

— Sans doute... toutefois, Norrey, Colette est jeune et... comment vous dire ? Les ennuis des autres comptent beaucoup moins que ses propres préoccupations, pour si futiles qu'elles puissent être... Que voulez-vous, elle est d'une génération qui considère ses aînés comme une bande d'attardés mentaux, englués dans des superstitions d'un autre âge. C'est le mal du siècle, sans doute, et on ne saurait lui en tenir rigueur, mais le temps me dure de la voir mariée, peut-être lui mettra-t-il un peu de plomb dans la tête.

Vers 4 heures et demie, Colette se montra dans le laboratoire pour rassurer le professeur sur l'état de santé de sa femme. Madeleine l'envoyait auprès de son mari pour lui annoncer que se sentant complètement remise, elle souhaitait prendre le thé en sa compagnie. Du coup, Montanay rayonna et la jalousie m'empoigna de nouveau, effaçant tous les remords que je nourrissais à l'égard de Madeleine. Colette, sans s'en douter, servit mes projets vengeurs. S'adressant à la cantonade, elle déclara :

— Messieurs, je viens de confectionner une brioche fourrée née de mon imagination et comme vous n'en avez jamais mangé... et comme vous n'en mangerez jamais plus peut-être, soit qu'elle ne vous plaise pas, soit qu'elle mette fin à vos jours !... Y a-t-il parmi vous des garçons assez courageux pour tenter l'épreuve ?

On rit sur l'invitation de Montanay subitement rajeuni, nous partîmes tous prendre le thé dans son appartement.

Si Madeleine fut surprise de me voir entrer chez elle, elle ne le montra pas et se conduisit en parfaite maîtresse de maison. Lorsque nous eûmes déclaré que la brioche de Colette était digne de paraître sur n'importe quelle table, son auteur, heureux, battit des mains comme l'enfant qu'elle me semblait être encore. Même le sombre Milorad Stepanic se dérida légèrement tandis que Moriss, ayant attrapé la chatte de la maison qui répondait au nom de Nébuleuse, la tenait sur ses genoux, tout en la caressant d'une main précautionneuse. Pendant toute la cérémonie du thé et de la dégustation de la brioche, Madeleine évita de s'adresser à moi, mais craignant sans doute qu'on ne remarque son attitude à mon égard, elle finit par me demander alors que Colette remplissait à nouveau les tasses :

— Monsieur Norrey... avez-vous déjà une impression sur notre ville ?

— Impression ancienne, madame, car je connais Poitiers depuis pas mal de temps.

— Dois-je comprendre que vous vous y plaisez ?

— J'espère, en tout cas, m'y plaire beaucoup.

Elle parut désarçonnée par cette réponse. Elle voulut me rappeler ma promesse d'une manière détournée.

— Comme c'est... curieux. Hier, à vous voir, à vous entendre... bien que vous n'ayez pas été très loquace... je me suis figurée que vous ne resteriez pas avec nous.

— Et bien, madame, vous vous êtes trompée... je reste.

Le professeur, incapable de deviner ce que signifiaient en vérité ces phrases banales, se jeta dans le débat.

— Et j'en suis fort aise, car j'ai pu constater que Norrey va m'être d'un grand secours et que, grâce à lui, bien des choses iront plus vite. Moi, d'après ce que vous m'avez confié de votre manière de voir, de sentir, je suis persuadé que Poitiers vous envoûtera ! C'est la ville idéale pour ceux qui ont gardé un brin de romantisme au cœur, *ces amoureux fervents et ces savants austères* dont parle Baudelaire... des épithètes qui me semblent vous convenir parfaitement !

Comme gaffeur, on ne pouvait souhaiter mieux.

Colette, ayant repris place dans notre cercle, s'insurgea :

— N'écoutez pas ce que raconte mon beau-frère, monsieur Norrey ! Poitiers est une ville triste ! On y meurt d'ennui ! Les vieilles pierres, je n'aime pas ça ! Et puis je ne tiens pas du tout à vivre dans le passé, mais dans le présent, sinon dans l'avenir !

Le Yougoslave sortit de son mutisme, pour l'approuver :

— Vous avez raison, mademoiselle, nous ne devons penser qu'à demain pour préparer des jours meilleurs aux générations futures.

— Sans doute, mais j'aimerais bien que la mienne ne soit pas sacrifiée !

Larcat reprocha plaisamment son égoïsme à sa fiancée.

Moriss, silencieux, souriait en continuant de caresser la chatte ronronnant sur ses genoux. Montanay arborait la mine satisfaite du chef de famille contemplant la bonne harmonie régnant entre les siens. Seule, Madeleine, en dépit d'efforts un peu trop visibles à mon goût, me semblait en proie à une colère noire, me jetant de temps à autre des coups d'œil où elle mettait tout le mépris dont elle était capable. Au lieu de m'attrister, cette hostilité m'excitait. Je les regardais tous, sympathiques, aimables, et pourtant, il y avait parmi eux un traître ou un espion qui trahissait ou son pays ou la confiance du professeur. Soudain l'idée me vint de jeter un pavé dans cette mare trop paisible, histoire de noter les réactions de gens ne se sachant pas observés. Lorsque Colette, continuant à se plaindre de Poitiers et des Poitevins, affirmait qu'il était impossible de rencontrer quelqu'un qui ne soit pas conformiste, qui possède le moindre brin d'originalité, je l'interrompis :

— Alors là, mademoiselle, je suis obligé de m'inscrire en faux !

— C'est une blague ?

— Pas du tout... et si vous aimez les originaux, je puis vous affirmer que je viens d'en rencontrer un et pas loin de chez vous.

— Ce n'est pas possible ?

— Mais si !

Et je leur racontai (tout en m'efforçant de scruter les visages) la scène à laquelle j'avais assisté dans le café, sans mentionner, bien sûr, l'allusion de Fenioux au nouveau carburant dont Montanay cherchait la formule. Loin de susciter les rires, mon récit intrigua. On se perdit en interrogations sur l'origine des ressources du concierge, sans pouvoir — et pour cause — apporter une réponse convaincante, le seul qui aurait pu le faire n'étant pas du tout disposé à s'exécuter. Lequel de ces quatre hommes donnait de l'argent à Antoine pour le laisser entrer la nuit dans le laboratoire ? J'estimais qu'on pouvait éliminer Montanay n'ayant besoin de la permission de personne pour se conduire chez lui comme il lui plaisait. Je penchais à éliminer Larcat pour des raisons presque identiques, car familier du professeur, fiancé à sa belle-sœur, sa présence au laboratoire n'aurait guère suscité d'étonnement, même à des heures indues. Restaient le Yougoslave et l'Anglais. Ni l'un ni l'autre n'avait sourcillé en m'écoutant. Peut-être — mais n'était-ce pas une illusion ? — m'avait-il semblé qu'à un certain moment, le sourire de Moriss s'était figé et que la main caressant le chat avait, un court instant, suspendu son rythme... Instinctivement, je me méfiais de ce garçon trop poli, trop silencieux, trop à part. Montanay conclut l'affaire en déclarant :

— Dès demain, j'aurai une conversation avec Fenioux et il faudra qu'il s'explique !

Le soir, de l'hôtel de Paris, je téléphonai à Dumolard :

— Allô ? Monsieur Dumolard ?

— Lui-même.

— Ici, Guillaume Norrey.

— Ah ? Comment allez-vous, cher ami ?

— Très bien, merci. Je vous téléphone pour vous annoncer que je suis sur la trace du tableau que vous recherchez.

— Vraiment ?... J'en suis fort heureux... et le prix, cher ?

— Je n'ose pas vous l'affirmer, mais il se pourrait que ce fût d'un bon marché inespéré.

— Tant mieux ! Cependant, s'il devait en être autrement, n'hésitez pas à payer le prix exigé, même s'il s'avérait élevé... J'ai un client qui tient absolument à posséder ce tableau, donc il ne regardera pas à la dépense. Je compte sur vous, Norrey.

— Vous pouvez. Bonsoir.

— Bonsoir.

En revenant du téléphone, j'arborai un air de contentement qui amena un sourire sur les lèvres d'Olga.

— Il semble que vous vous portiez mieux que ce matin et plus encore qu'hier soir ?

— Ça va tout ce qu'il y a de bien ! Qu'est-ce que je vous offre, Olga ? Une coupe de champagne ?

— A cette heure-ci ? (Je l'ai déjà souligné, Olga a des principes.)

— Il n'y a pas de meilleur apéritif.

J'appelai le garçon qui prévint Bussonnet accroché, pour l'heure, à ses casseroles, car lui seul avait la haute main sur les bouteilles de qualité. Il ne tarda pas à surgir pour voir quel était le client fastueux qui entendait, avant de passer à table, se faire la bouche avec une coupe de Laurent Perrier, Grand Siècle. Quand il aperçut les coupes disposées devant sa femme et moi-même, il amusa l'assistance selon son habitude en s'exclamant :

— Comment, c'est toi ? Et avec Olga ? Ma femme, souviens-toi que ta mère t'a enseigné de toujours te méfier des messieurs d'un certain âge qui t'offraient du champagne ! Quant à toi, Guillaume, permets-moi de te dire que tu y vas un peu fort ! Après la visite que tu as reçue ce matin, voilà que tu t'attaques à Olga, à l'épouse d'un ami ? Je ne m'attendais pas à ça de ta part !

Olga, gênée, se réfugiait dans un rire plein de confusion, un peu honteuse d'être le point de mire de l'assemblée. Robert continuait :

— Afin de veiller sur mon honneur et bien que tu aies oublié de m'inviter, Edouard (c'était le garçon), mettez une coupe de plus, celle du mari ! Ainsi, les apparences du moins seront sauves !

Nous vécûmes une excellente soirée car, lorsque Bussonnet y consent, il est le plus joyeux boute-en-train de la Vienne, mais encore faut-il que les conjonctures astrales coïncident de façon aussi parfaite que bénéfique. Après un dîner des plus tardifs, il s'enquit :

— Quand pars-tu ?

— Je ne pars plus.

— Ah ?... Note que ça ne m'étonne pas tellement... et tout s'explique fort bien dans l'attitude d'autrui, lorsqu'on est bien décidé à ne rien s'expliquer du tout... Tu arrives sans crier gare, bon ! Tu es heureux de te retrouver à Poitiers, parfait ! Tu te rends chez ton patron, tu en reviens avec une tête d'enterrement, excellent ! La femme dudit patron se propulse jusqu'ici pour te voir, merveilleux ! Sitôt après son départ, tu m'annonces le tien de départ, judicieux ! Tu retournes chez ton patron et du coup tu ne pars plus, de mieux en mieux ! Tu me jures, depuis deux ans, que tu ne souhaites qu'une chose au monde, retrouver ta dame de Brouage. Et, sitôt que tu l'as retrouvée, qu'est-ce que tu fais ? Tu déclares qu'il te faut te sauver et dare-dare. Bravo ! D'accord ! Et puis après ?

— Tu m'as bien dit que tu connaissais Antoine Fenioux ?

— Et alors ?

— Et alors, il a des habitudes dans un petit bistrot près du laboratoire ; dès demain, tu t'y rendras et tâcheras de voir ce qu'il a dans le ventre.

— Parce que maintenant il est indispensable que je fasse ton travail ?

— Du moins que tu l'amorces.

— En allant embobiner le Fenioux ?

— Tu comprends très vite, c'est ce qui me plaît en toi.

— Navré, mais je ne me mêle pas de tes sales affaires !

— Alors, c'est entendu, je compte sur toi.

Le lendemain, je fus réveillé par des coups violents frappés à ma porte. J'ouvris un œil maussade et grognai, légèrement ahuri :

— Qu'est-ce que c'est ?

— C'est moi, Robert !

— Au lieu de mener tout ce bruit, tu agirais plus sagement en entrant et ce d'autant plus que la porte n'est pas fermée.

Il entra et j'avais beau être encore tout enchifrené de sommeil, je ne pus manquer de noter que mon Bussonnet affectait un air tragique ou, pour le moins, d'une gravité exceptionnelle. Un peu inquiet, j'essayai lâchement de prendre l'offensive :

— Tu n'es pas fou de me réveiller à l'aube ?

— A Paris, vous placez l'aube assez tard... Il est 8 h 15.

— Ce n'est pas une raison !

— Si !

Il prit place sur mon lit et me regarda dans les yeux.

— Guillaume, je te croyais un ami dévoué ?

— Je ne vois pas ce qui pourrait te permettre de penser le contraire ?

— Guillaume, réponds-moi franchement : souhaiterais-tu qu'Olga devienne veuve ?

— Moi ? Grand Dieu et pourquoi ?

— Pour l'épouser, pardi !

— Avec les trois petites filles en prime ?

— Ne rigole pas, je te parle sérieusement.

— Tu me parles peut-être sérieusement, mais tu dois être soûl !

— A 8 heures du matin ?

— C'est juste... Alors, qu'est-ce que tu as ?

Je pense que don Juan ne se sentit pas plus mal à l'aise lorsque le commandeur pencha vers lui son visage de pierre, que moi lorsque mon ami de toujours, Robert Bussonnet, inclina sa bonne figure vers la mienne.

— Guillaume, oui ou non, m'as-tu dit que tu voulais que je rejoigne au plus vite Antoine Fenioux, concierge ?

— Oui.

— Et sais-tu où — disant cela — tu m'envoyais ?

— Rue du Cuvier.

— Non, monsieur, au ciel !

— Au ciel ?

— Au ciel, je m'avance peut-être un peu... Enfin, dans l'autre monde !

— Dans l'autre... mais, qu'est-ce que tu me racontes ?

— On a trouvé ton Antoine Fenioux tout ce qu'il y a de plus mort devant chez lui.

— Ce n'est pas vrai ?

— Je ne plaisante jamais avec la mort et surtout à cette heure-ci !

— Et comment est-il ?...

— Tu ne t'en doutes pas un peu ? D'un joli coup de poignard dans le dos ! Et c'est sans doute le sort que tu me réservais, puisque tu désirais que je rejoigne ce cadavre ?

— De quelle façon aurais-je pu deviner que...

— Peut-être parce que c'est toi qui l'as tué ?

CHAPITRE III

Ainsi, on avait tué Antoine Fenioux... Si dans mon métier on pouvait éprouver des remords, du point de vue professionnel, j'en aurais ressenti, car pour moi, il était indiscutable que j'avais condamné le concierge à mort en rapportant sa discussion avec son ami Marcel. Toutefois, le meurtrier avait commis une erreur, il me donnait la certitude qu'il me fallait le chercher dans le petit cercle prenant le thé chez les Montanay. Cela déblayait le terrain. J'eus une pensée pour ce pauvre Antoine, qui, en mourant, m'avait rendu service et qui, au fond, en disparaissant, allait faire des heureux à commencer par sa femme et mon collègue Stepanic.

Avant de gagner le laboratoire, je m'en fus boire un exécrable café dans le bistrot où Antoine pérorait vingt-quatre heures plus tôt. C'était Marcel qui, cette fois, retenait l'attention générale en glosant sur le défunt. Il paraissait profondément affecté et sa voix mouillée de larmes s'enrouait à chaque instant.

— Voilà, les gars... On se croit bien portant... On pense pas à mourir... On a de l'argent plein ses poches et v'lan !...

Ce « v'lan ! » accompagné d'un grand geste du bras résumait toute la fatalité accablant le genre humain.

— C'est pas parce qu'il est mort que je dirais pas qu'il avait une tête de cochon ! Ça non ! Mais tout de même, c'était quelqu'un l'Antoine...

Un anonyme souligna de façon fort déplaisante :

— Un concierge...

Comme atteint dans son honneur, Marcel se rebiffa et, oubliant ses propos de la veille, s'exclama, sévère :

— Un concierge, d'accord ! Mais attention, pas n'importe quel concierge ! Un concierge qui savait des secrets ! Faut pas confondre ! Un homme qui méritait le respect et que je suis honoré d'avoir connu... Ça, pour ceux qui s'imaginent toujours supérieurs aux autres, et v'lan !

L'anonyme ne se manifestant point de nouveau, Marcel eut conscience d'avoir rempli noblement son devoir et, content de lui, offrit une tournée générale. Les verres reposés, quelqu'un lui demanda :

— Dis, Marcel, tu penses pas que c'est à cause de ses secrets qu'on l'aurait descendu ?

L'interpellé eut un rire condescendant.

— T'es pas dingue, des fois ? Où t'as vu qu'on tuerait quelqu'un pour une histoire de carburant ?

— Et pourtant...

— Non, moi, à mon idée, c'est pour lui chiper ses sous... ou alors, une histoire d'amour.

— C'est vrai que sa femme elle aurait quelqu'un ?

— Motus !... Le mur de la vie privée, hein ? personne a le droit d'y regarder et surtout pas toi, Norbert, quand on sait comment ça se passe dans ta maison, et v'lan !

Norbert écarta ceux qui l'entouraient pour se planter face à son critique. C'était un homme court et épais à la mine peu rassurante. Il posa une main aux doigts boudinés sur la poitrine de Marcel :

— Et comment donc que ça se passe chez moi ?

Je ne devais jamais être mis au courant des infortunes familiales de Norbert car, à ce moment-là, la porte du café s'ouvrit devant un monsieur grand et mince, encore jeune, que suivaient deux agents. Du seuil où il s'immobilisait, le nouveau venu lança :

— Police !

Cette déclaration jeta un froid et le policier s'avança vers le comptoir tout en disant dans un silence total :

— Antoine Fenioux qui a été assassiné hier soir dans cette rue, fréquentait, paraît-il, cet établissement... Le connaissiez-vous ?

Un murmure d'approbation lui répondit.

— Parfait... Donnez vos noms et adresses aux agents afin que nous puissions vous interroger sur ce que vous auriez pu remarquer touchant la victime...

Pendant que les deux agents plaçaient les clients en file indienne et commençaient à relever les identités, le policier me repéra et s'approcha de moi.

— Inspecteur Reynès... Etes-vous un habitué de cet établissement ?

— Non... Je ne suis à Poitiers que depuis quarante-huit heures... Guillaume Norrey... ingénieur... je travaille auprès du professeur Montanay.

— Enchanté... Me permettez-vous de m'asseoir à votre table un instant ?

— Je vous en prie.

— Monsieur Norrey... aviez-vous déjà vu Antoine Fenioux ?

— Deux fois... D'abord lorsqu'il m'a introduit auprès du professeur, puis dans ce même café, hier matin, où j'étais venu boire une tasse de café.

— Quelle impression vous a-t-il faite, si toutefois il vous en a fait une ?

— Un type pas très malin... Fort prétentieux... Et ivrogne vraisemblablement.

Je mis le policier au courant de la scène à laquelle

j'avais assisté en omettant de lui parler du secret que Fenioux se vantait de détenir. Je ne tenais pas à ce que la police officielle mît son nez dans mes affaires.

— A votre avis, quelle somme a-t-il pu brandir sous le nez de son contradicteur ?

— Un bon millier de francs.

L'inspecteur siffla doucement entre ses dents.

— Eh bien ! voilà, je pense, un excellent motif... Il s'agirait donc d'un crime crapuleux ayant le vol pour mobile, puisqu'on n'a pas retrouvé un sou sur lui... Il y a bien des chances pour que le meurtrier soit un des habitués de ce café. Merci infiniment, monsieur Norrey... Si j'ai encore besoin de recourir à vos bons offices, où puis-je vous toucher ?

— Hôtel de Paris, boulevard du Grand-Cerf.

— Merci encore.

Au laboratoire, nul ne semblait se soucier de la disparition du concierge. Tous mes efforts pour tenter d'intéresser mes collègues à ce crime échouaient. Stepanic, lorsque je fis allusion au meurtre du mari de sa bien-aimée, haussa les épaules et grogna quelque chose en serbo-croate qui m'échappa complètement et pour cause. Jacques Larcat m'assura qu'il se fichait comme d'une guigne de feu Antoine Fenioux mais que, s'il appartenait à la police, il exigerait un emploi du temps détaillé du Yougoslave, dont la mort d'Antoine arrangeait trop bien les affaires. Je ne parvins pas à me rendre compte si le jeune homme parlait sérieusement ou non. A mes remarques concernant la fin brutale du concierge, Moriss répliqua par un de ses sourires habituels avant de m'annoncer que Fenioux, dénué du moindre intérêt sur le plan humain, appartenait à ce genre de parasite engendré par la société capitaliste. Quant à Montanay lui-même, l'assassinat de son concierge semblait le préoccuper fort peu. Tout ce qu'il me dit fut :

74

— Oui, j'ai appris... C'est très ennuyeux... Il faudra trouver quelqu'un d'autre et j'étais accoutumé à Fenioux... Je déteste changer mes habitudes.

Je faillis lui répondre qu'Antoine avait dû changer ses habitudes mais, à quoi bon ? Tous .ces savants, ces scientifiques s'écartaient peu à peu du monde sensible des hommes, pour vivre dans un univers de chiffres et de formules où il n'y avait plus de place pour les sentiments. Tous, sauf un...

La curiosité plus que la sympathie me poussa à aller présenter mes condoléances à Mme Fenioux. La belle Judith — car elle était vraiment belle — n'avait pas cru nécessaire d'affecter une mine éplorée. Au fond, la mort de son ivrogne de mari la débarrassait d'un rude poids et je prévoyais que l'inspecteur Reynès viendrait sûrement la cuisiner un peu, histoire de juger si cette magnifique veuve n'avait pas aidé un peu trop le destin et ce, d'autant plus — je l'appris par le journal — que l'arme du crime non retrouvée, devait s'apparenter à un instrument ressemblant à une épingle à chapeau dont le calibre habituel eût été multiplié par dix au moins... et l'épingle à chapeau suggérait immédiatement l'idée d'une meurtrière. On oubliait seulement qu'il y a belle lurette que les femmes de petite condition ne portent plus d'épingle à chapeau, quand elles usent encore de chapeaux. Je me promis de mener mes investigations dans le laboratoire de Montanay pour tenter d'y repérer quelque chose qu'on pourrait, avec un peu de bonne volonté, assimiler à une épingle à chapeau.

Le soir, je téléphonai à M. Dumolard pour lui apprendre que mon intermédiaire en vue de la vente du tableau était mort. Il n'en parut pas autrement surpris.

— Je vous avais prévenu, Guillaume, qu'il y a... d'autres amateurs et décidés à mettre le paquet pour se procurer ce chef-d'œuvre. Agissez donc en conséquence... Au revoir.

Agir en conséquence, il en avait de bonnes ! Encore aurait-il fallu que je sache de quelle façon m'y prendre ! La piste Antoine perdue, il m'en fallait dénicher une autre et pour l'heure, je ne voyais ni où ni comment.

Après le dîner, une idée germa en moi, une idée que j'aurais dû avoir beaucoup plus tôt. Pas de doute, je me rouillais ! Il n'était pas possible que Judith ne fût pas au courant de ces importantes rentrées d'argent dont son mari bénéficiait et dont, d'une manière ou d'une autre, elle devait profiter. A Bussonnet, me demandant où je me rendais à 10 heures du soir, je répliquai :

— Chez une dame.
— Toujours la...
— Non... une autre.
— Mais tu es insatiable !

J'omis de lui préciser que la personne à qui je me proposais de rendre visite ne m'attendait pas.

La rue du Cuvier s'offrait parfaitement déserte. Le fait que Judith devait veiller le corps de son époux ne m'arrêta pas, sachant les sentiments que la veuve portait au défunt. La grille ouvrant sur le jardin des Montanay n'était pas fermée. Je la poussai aussi silencieusement que possible et me dirigeai en étouffant le bruit de mes pas, vers la maisonnette des Fenioux. Une lumière filtrait à une fenêtre du rez-de-chaussée. Je frappai discrètement à la porte contre laquelle je collai aussitôt mon oreille, ce qui me permit de saisir un léger remue-ménage, l'écho étouffé de ce qui me parut ressembler à une fuite, puis on s'approcha de l'huis derrière lequel je me tenais. Tout de suite, je fus convaincu que je dérangeais autre chose qu'une veillée funèbre. La porte s'entrouvrit et on s'enquit :

— Qu'est-ce que c'est ?
— Madame Fenioux ?
— Oui... qui ?

— Guillaume Norrey, le nouvel ingénieur qui travaille au laboratoire.

La porte bâilla plus largement.

— Que désirez-vous ?

— Vous parler, madame.

— A cette heure-ci ?

— Je tiendrais à ce que notre entrevue soit discrète.

— Mais... monsieur, vous n'ignorez pas que mon mari...

— Bien sûr... mais je sais encore pas mal d'autres choses. A votre place, madame, je passerais par-dessus toutes les conventions et je recevrais un monsieur que vous avez tout intérêt à entendre.

Elle hésita puis, finalement, se décida.

— Entrez.

Judith m'introduit dans la pièce dont j'avais repéré la lumière à travers les volets clos. Tout de suite, je me rendis compte que la table avait été rapidement débarrassée, un peu trop rapidement car sur le buffet traînaient deux verres encore à moitié pleins qu'on n'avait pas eu le temps d'emporter à la cuisine. Qui donc tenait compagnie à la belle veuve et que mon arrivée avait contraint à la fuite ? Je me doutais que le visiteur inconnu ne se trouvait pas très loin et sans doute prêtait-il l'oreille à mes propos. Cela ne présentait aucune importance car je désirais brusquer les choses. Il fallait que j'oblige l'espion à agir. Peut-être ainsi parviendrais-je à mettre un nom sur celui qui, pour moi, n'était encore qu'une ombre ; la méthode s'avérait dangereuse pour ma propre personne, mais c'était là le risque normal du métier. La veuve me pria de m'asseoir et, dès l'abord, se montra agressive.

— Je ne comprends pas, monsieur, à quoi rime votre visite en un pareil moment et à une heure aussi tardive. Imaginez-vous ce que pourraient penser ceux qui vous auraient vu entrer ? Le corps de mon mari repose au premier étage...

Une excellente comédienne qui jouait à la perfection la vertu inquiète. Je la rassurai :

— J'ai veillé, madame, à passer inaperçu. N'ayez aucune crainte, votre réputation ne souffrira en rien, du moins de ma part... Je suis là pour vous parler de votre époux.

— D'Antoine ?... Vous le connaissiez ?

— De vue seulement...

— Dans ce cas, je ne vois pas ?...

Je lui racontai la scène du café à laquelle j'avais assisté et je terminai en lui demandant :

— Vous étiez au courant de ces sommes d'argent qu'il recevait ?

Si elle n'était pas sincère, elle mimait l'étonnement à la perfection.

— Pas du tout ! Mais êtes-vous bien sûr de ce que vous avancez ?

— Absolument... Quelqu'un donnait beaucoup d'argent à votre mari pour un certain service... Un service dont vous connaissez peut-être la nature ?

— Je vous jure que non !

— Dommage... Parce que si vous aviez pu me fournir le nom de celui qui remplissait les poches de Fenioux, je vous aurais payé ce renseignement très cher... très, très cher...

— Je regrette d'autant plus d'être dans l'impossibilité de vous répondre que je vais avoir besoin de pas mal d'argent.

— Alors, essayez de me rendre le service que je vous demande ?

— C'est plus facile à dire qu'à faire...

Au-dessus de ma tête, j'entendis tomber quelque chose sur le plancher. Instinctivement, je levai les yeux et Judith dit très vite :

— Un ami qui veille dans la chambre de mon mari... Je n'ai pas voulu rester seule avec... avec un mort.

— C'est bien naturel... Mais je serais fâché qu'on ait pu surprendre notre conversation ?

— Il n'y a pas de risque... Nous parlons à voix basse et de là-haut, il est impossible d'entendre quoi que ce soit, à moins de crier... Combien vous me donneriez si... je parvenais à vous procurer ce que vous cherchez ?

— Disons... 5 000 francs ?

Elle parut nettement intéressée.

— Mais, pourquoi tenez-vous tant à savoir ?

— Ça, ce sont mes affaires, madame.

— Bon... j'essaierai... mais je ne vous promets rien... Je fouillerai dans ses papiers... et peut-être...

— Je réside à l'hôtel de Paris. J'espère y recevoir bientôt de vos nouvelles.

Elle me raccompagna jusque sur son seuil et, avant de m'éloigner avec les mêmes précautions prises pour venir, je lui glissai :

— On m'avait assuré, madame, que vous étiez très belle... Mais je ne pensais pas que ce fût à ce point-là...

En me disant au revoir, sa voix prit des intonations très douces. Je lui étais devenu sympathique.

Une fois dans la rue du Cuvier, je feignis de m'éloigner mais au bout d'une centaine de mètres. je m'arrêtai, revins sur mes pas et me dissimulai dans un coin d'ombre. Je tenais à connaître l'identité de l'autre visiteur nocturne de Judith Fenioux. Au bout d'une demi-heure environ, j'aperçus une silhouette épaisse se glisser discrètement entre les vantaux du portail. Sans soupçonner ma présence, Milorad Stepanic passa tout près de moi.

Madeleine, Colette, Montanay et Larcat, suivirent en ma compagnie le convoi funèbre d'Antoine Fenioux. Le service religieux eut lieu à Saint-Hilaire et l'inhumation au cimetière de Chilvert, dans le faubourg de la Tranchée. Si à la sortie du cimetière, Colette échangea quelques propos aimables avec moi, Madeleine se montra d'une froideur qui frisait l'incorrection et sa sœur le remarqua. Madeleine ne me pardonnait pas ce qu'elle supposait être un manquement à mes promesses et qui l'était bien à la vérité, mais avec des excuses que ma bien-aimée ne pouvait deviner.

Le lendemain soir, ma journée de labo terminée, je regagnai l'hôtel de Paris où Olga m'avertit, d'un air pincé (car je devais passer à ses yeux pour un débauché dont l'exemple risquait de pervertir son mari) qu'une dame avait téléphoné en priant de dire à M. Norrey qu'on pourrait peut-être lui apporter une partie de ce qui l'intéressait et qu'on l'attendrait chez la mère de la correspondante — Mme Gomez — au 235 de la rue des Quatre-Cyprès dans le faubourg de Rochereuil, à 23 heures. Ayant transmis son message, Olga ajouta d'une voix peinée :

— Vous semblez avoir bien changé, monsieur Guillaume.

— Vous vous trompez, ma petite Olga... Quand le moment sera venu, je vous expliquerai...

Je montai me changer dans ma chambre en chantonnant. La belle Judith n'avait pas été insensible à mon offre. Les choses pouvaient se précipiter. Seulement, comme je ne suis pas tombé de la dernière pluie et que j'ai suffisamment d'années de métier derrière moi pour considérer la confiance spontanée à l'égal d'un vice rédhibitoire, surtout quand il s'agit de répondre en pleine nuit à une convocation dans un quartier pas tellement peuplé, je priai Bussonnet de se rendre dans cette rue des Quatre-Cyprès pour se renseigner et savoir s'il y gîtait bien une dame Gomez. Sitôt qu'il fut rassuré sur les services de la cuisine, mon Robert sauta dans sa voiture. Moins de vingt minutes plus tard il était de retour pour m'assurer que la dame Gomez existait parfaitement et qu'elle logeait, en effet, à l'adresse indiquée. Tout se présentait pour le mieux et j'offris une bouteille de champagne

— mon péché mignon — que nous bûmes à la réussite de mes projets.

En dépit de mes refus réitérés, Bussonnet avait tenu à m'accompagner, d'abord parce que dans le faubourg de Rochereuil, je ne trouverais aucun taxi pour me ramener après mon rendez-vous, ensuite parce qu'il assurait n'avoir pas tellement confiance dans ma prudence naturelle. Ce court dialogue eut lieu à l'écart d'Olga qu'il était inutile d'inquiéter. En douce, Robert glissa dans sa voiture un fusil de chasse et les munitions suffisantes pour massacrer une famille de sangliers.

— Avec ça, me confia-t-il, on peut tenir tête à tous les voyous du patelin.

Nous nous arrêtâmes à deux ou trois cents mètres de l'endroit où je me rendais. Mon compagnon m'assura qu'il restait sur place tous feux éteints, au risque d'une contravention et que si j'avais besoin d'aide, je n'avais qu'à crier très fort, il foncerait.

Malheureusement pour moi, un autre fonça avant lui.

Alors que j'approchais de la maison de Mme Gomez, j'entendis une auto démarrer devant moi et presque tout de suite je fus pris dans la lumière de phares puissants. Ebloui, je fermai un instant les yeux et mes réflexes émoussés ne me permirent pas d'exécuter le saut de côté qui s'imposait. Déjà, l'auto arrivait sur moi, mais un chat passa à ce moment-là juste devant mes pieds et j'eus le sentiment que le conducteur qui se jetait sur moi, braqua légèrement. Ce geste me sauva la vie, car seule l'aile du véhicule lancé à grande vitesse me heurta et m'envoya bouler contre la façade d'une maison endormie. Avant de m'évanouir, j'entendis le moteur d'une autre voiture et je sus que Bussonnet arrivait à mon secours.

Lorsque je me réveillai à l'hôpital, je vis une infirmière, un monsieur à l'air grave — le docteur sans aucun doute — et, assis sur une chaise, mon Bussonnet qui montrait une drôle de figure. Le médecin se pencha :

— Comment vous sentez-vous ?

— Pas si mal que ça...

— Vous rappelez-vous ce qui vous est arrivé ?

— Parfaitement et je suis étonné de me retrouver parmi les vivants.

— Oui, vous avez eu de la chance.

— C'est une manière de voir les choses. Qu'est-ce que j'ai ?

— Des côtes froissées et surtout vous avez été mis knock-out. Je vous ai bandé le côté. Je pense que vous pourrez, sans inconvénient, rentrer chez vous dès demain.

Le docteur et l'infirmière partis, Bussonnet s'approcha :

— Tu as conscience que tu as failli y passer ?

— Et comment !

— Je ne comprends pas comment ils ont pu te louper.

— Moi non plus... Tu as repéré la voiture ?

— Non... Elle filait pleins phares... Qu'est-ce que tu vas faire maintenant ?

— Cette question ! Continuer !

— Tu tiens à mourir encore jeune ?

— C'est une éventualité que j'ai accepté depuis longtemps, mais je suis coriace. En tout cas, je dois m'approcher du coupable pour qu'il prenne peur au point de vouloir me tuer.

— L'inspecteur Reynès est venu deux fois et il ne tardera pas sans doute à rappliquer. Qu'est-ce que je raconte à Olga ?

— Accident... Pour tout le monde, accident.

— Même pour la police ?

— Surtout pour la police.

82

Mon Robert ne paraissait pas autrement convaincu. Il haussa les épaules, résigné.

— A ton idée. Je reviens te chercher demain en fin de matinée. D'accord ?

— D'accord.

Demeuré seul, j'essayai de me souvenir de tous les détails ayant précédé le choc et soudain je repensai au chat qui, au moment où l'auto me fonçait dessus, passa devant moi comme pour partager mon sort et au brusque coup de volant de mon agresseur. Curieux criminel qui n'hésite pas à décider de tuer un homme de la manière la plus lâche qui soit, et qui accepte de rater son coup pour ne pas écraser un chat ! Il fallait croire que ce type-là préférait les chats aux hommes. A peine finissais-je de formuler cette pensée que le nom d'Herbert Moriss éclata dans ma mémoire. Je revoyais l'Anglais caressant la chatte pendant que nous prenions le thé. Je réentendais Bussonnet me révélant que Moriss vivait seul, avec un chat nommé Iago. En dépit de la fièvre qui me secouait quand même un peu, je jubilais. Ainsi, l'Anglais s'était trahi parce qu'instinctivement, toute sa passion s'était révoltée en lui quand il avait été sur le point d'écraser mon petit compagnon de hasard. Il n'y a ni logique ni justice en ce monde et pour obéir à M. Dumolard, lorsque je serai sûr de tenir en lui l'espion que je cherchais, je tuerai Herbert Moriss qui aimait tellement les chats...

Et quel rôle jouait la belle Judith dans cette histoire ? Complice de l'attentat ? Je ne le pensais pas. J'imaginais plutôt qu'ayant résolu de faire chanter celui qui payait son mari elle lui avait révélé mon offre, bien imprudemment, et l'autre n'avait plus eu qu'à me tendre le piège où j'étais allé donner tête baissée. Judith approuverait-elle cette tentative criminelle ou, affolée par le déroulement d'une aventure qui risquait de devenir trop dangereuse à ses yeux, renoncerait-elle à se mêler plus longtemps d'une histoire la dépassant ? Cela ne m'arrangeait pas car j'étais de plus en plus persuadé que tout passait par elle. Il fallait absolument que je l'oblige à me confier ce qu'elle savait mais, de quelle façon, si, pour une raison ou une autre, l'argent ne la tentait plus ? La fièvre me rendait plus intelligent que d'habitude et je choisis brusquement de faire une cour empressée à la veuve Fenioux. Après tout je présentais quand même mieux que le Stepanic ? Evidemment, ce n'était pas là une manœuvre jolie, jolie, mais dans mon métier on ne s'arrête pas à ce genre de scrupules et, fort satisfait de moi, je m'endormis d'un sommeil sans rêve.

Je fus ramené aux réalités par l'infirmière qui m'apportait mon déjeuner que j'absorbai en pensant à celui que je m'offrirais chez les Bussonnet le lendemain. Vers deux heures, Madeleine entra dans ma chambre et tout de suite je perdis pied. Elle-même ne devait pas se sentir tellement assurée car elle affectait une froideur qui ne lui seyait pas du tout. Elle mit immédiatement les choses au point :

— C'est mon mari qui m'envoie... Quand il a su votre accident, il a téléphoné et on l'a rassuré... Il a pensé que vous ne lui tiendriez pas rigueur, dans ces conditions, de ne pas venir personnellement prendre de vos nouvelles... En bref, je suis ici en son nom et au nom de ses collaborateurs...

— Je vous en remercie, madame... Si je comprends bien, au cas où le professeur ne vous eût pas chargée de cette mission, vous ne seriez pas près de moi en ce moment ?

— Cela ne vous regarde pas.

— J'ignore si vous vous en rendez compte mais... vous me peinez beaucoup.

— J'en suis navrée... mais vous ne pouviez vous attendre, j'imagine, à une autre attitude de la part de quelqu'un à qui vous avez menti ?

— Accepterez-vous, en souvenir d'un passé que

vous ne pouvez avoir oublié complètement, de me faire l'honneur de penser que si j'ai agi comme vous le déplorez, c'est que j'y étais contraint et que toutes explications vous seront données en temps utile ?

— Soit. Jusque-là, je vous serais reconnaissante de ne point chercher à me rencontrer.

— Je vous en donne ma parole.

— Ce ne sera que la seconde fois. J'espère que vous tiendrez mieux celle-ci que la première. Sur ce, je ne crois pas que nous ayons autre chose à nous dire. Je rapporterai à mon mari que vous vous êtes fort bien tiré de ce stupide accident. Au revoir...

Elle atteignait la porte lorsque je dis doucement :

— Madeleine... ma chérie...

Elle se retourna, indignée :

— C'est comme ça que vous...

— Madeleine... ce n'était pas un accident.

Elle revint vers le lit.

— Qu'est-ce que vous racontez là ? Pas un accident ? Qu'était-ce donc, alors ?

— Une tentative de meurtre.

— Souhaitez-vous me laisser entendre qu'on a délibérément essayé de vous tuer ?

— Exactement.

— Allons donc ! C'est pour vous rendre intéressant à mes yeux que vous...

— On a essayé de me tuer et je sais qui...

— Mais enfin, pourquoi ?

— Pour des raisons que je ne puis vous confier.

— C'est absurde ! Vous êtes ici parce que vous... enfin, parce que vous prétendez m'aimer... Qui cela peut-il intéresser ? Mon mari est trop droit pour se livrer à une action aussi lâche... Et puis il est resté à mes côtés durant la soirée d'hier !

— Tout vous paraîtra très clair lorsque vous saurez... Pour l'instant, je vous demande de garder le secret. Puis-je compter sur vous ?

Elle hésita imperceptiblement.

— Si vous jugez que c'est nécessaire... Mais... Guillaume... si vous êtes sincère... si vous ne vous trompez pas... je... je ne vais plus vivre !

— Merci, Madeleine... Vous pouvez partir maintenant, je suis heureux pour tout l'après-midi.

Elle eut encore une hésitation, puis s'inclinant rapidement, elle effleura mon front de ses lèvres et partit très vite.

Elle m'aimait.

Mon second visiteur fut l'inspecteur Reynès. Je lui parlai d'accident. Il accepta fort bien cette hypothèse et se montra navré de mon incapacité à lui fournir le moindre renseignement sur le chauffard qui avait failli m'expédier dans l'autre monde. Il me quitta en me souhaitant un prompt rétablissement et en me priant de passer au commissariat pour déposer une plainte contre inconnu. Il ajouta que l'enquête au sujet du meurtre d'Antoine Fenioux n'avançait pas. Je m'en serais douté.

Parce que j'occupais une chambre particulière et que le professeur Montanay jouissait d'une situation privilégiée à Poitiers, Jacques Larcat et sa fiancée obtinrent la permission de me voir vers 18 heures. J'essayai de ne pas montrer ma surprise. Jovial, Larcat m'assura qu'on avait tout d'abord cru que le professeur devrait se mettre en quête d'un nouvel assistant.

— ... et croyez-le ou non, il en paraissait profondément affecté. Vous l'avez séduit, mon cher !

— J'en suis touché... et les autres ?

— Les autres, leur désespoir se révéla moins éclatant... Milorad Stepanic en apprenant la chose a grogné des mots que, ainsi qu'à l'ordinaire, personne n'a compris. Sans doute une remarque du genre : ça sera toujours un ploutocrate de moins !

— Et Moriss ?

— Oh ! rien ne peut émouvoir Moriss... sauf la plainte d'un chat perdu.

Les deux jeunes gens m'abandonnèrent après

m'avoir entendu leur affirmer que je serais de retour au laboratoire le surlendemain. Mais, ils n'étaient pas partis depuis cinq minutes que Colette revenait.

— J'ai laissé filer Jacques en lui disant que j'avais affaire dans le quartier. Je tenais à vous parler en tête à tête.

Elle m'intriguait. Elle prit une chaise et s'assit tout près de moi.

— Guillaume... Vous permettez que je vous appelle ainsi ?

— Personnellement, je n'y vois pas d'inconvénient mais je ne suis pas certain que Jacques...

— Il n'est pas là.

— Oh ! très bien.

— Guillaume... Madeleine m'a tout avoué.

— A quel propos ?

— Brouage.

— Ah...

— Vous êtes fâché ?

— Peiné seulement... C'était notre secret.

— Madeleine n'a que moi à qui se confier. Je sais que vous l'aimez et je sais qu'elle vous aime...

— Ça ne vous avance guère.

— Parce que vous n'avez de courage ni l'un ni l'autre !

— Que devrions-nous donc faire, à votre avis ?

— Partir.

— Ensemble ?

— Evidemment !

— Vous êtes pour les solutions radicales !

— Ce sont les seuls dignes d'intérêt.

— Mais le professeur...

— Oh ! je vous en prie !... Ne vous laissez pas prendre à ce que ma sœur se croit obligée de raconter... par devoir.

— Par devoir ?

— Montanay a épousé Madeleine à une époque où nous étions à bout de ressources... Nous som-

mes restées très tôt orphelines. Ma sœur m'a éle-
vée en dépit de notre faible différence d'âge...
C'est un peu à cause de moi qu'elle s'est mariée.
Elle voulait que je puisse continuer mes études.
Son maigre salaire de secrétaire n'y eût pas suffi.
En épousant le professeur Montanay, de si loin
son aîné, je crois pouvoir affirmer que Madeleine
s'est sacrifiée et... cela me pèse sur la conscience.
J'aurai du mal à être heureuse si je sais que, de
son côté, elle n'est que résignée... C'est là la raison
profonde qui me pousse à retarder sans cesse mon
mariage avec Jacques... Vous êtes le seul qui la
connaisse.

— Je suis touché par votre confiance, Colette,
mais je ne puis répondre à vos conseils trop romanesques... que Madeleine elle-même désapprouve-
rait...

— Qu'elle feindrait de désapprouver !

— Mais elle ne cesse de me répéter qu'elle est
pleine d'estime et de reconnaissance envers Montanay et que pour rien au monde elle ne voudrait
lui infliger la moindre peine !

— Elle vous ment et elle se ment à elle-même !
Ma sœur est une femme qui s'imagine toujours
qu'elle doit tout aux autres... Elle a gardé cette
manière de penser du temps de notre gêne... quand
il lui fallait quémander de petits crédits... solliciter
des prêts à court terme... Elle ne s'est jamais
remise de cette sombre période de notre existence...
Alors, elle s'est convaincue que Pierre était un saint
qui se sacrifiait en l'épousant !

— Il semble beaucoup tenir à elle...

— Lui ? Attendez de le mieux connaître pour
le juger ! C'est un homme d'un égoïsme monstrueux. Déjà vieux garçon lorsqu'il s'est marié,
rien ne compte pour lui en dehors de ses travaux
et il aime en Madeleine la servante sans gages qui
veille à son confort. Songez qu'il ne la sort jamais, qu'en cinq ans il ne lui a pas offert le

moindre voyage, qu'il ne reçoit pratiquement personne à part ces deux olibrius de Stepanic et de Moriss ! Et vous croyez vraiment que c'est une vie pour Madeleine ?

— Je soupçonnais tout cela... mais je craignais que mon imagination ne me poussât dans un sens favorable à ma tendresse... à mes souhaits.

— Maintenant, Guillaume, vous comprenez pourquoi ma sœur ne pourra jamais oublier votre si courte aventure de Brouage ?

Les confidences de Colette firent plus pour mon rétablissement que tous les remèdes et lorsque Bussonnet vint me chercher le lendemain matin, j'étais prêt depuis longtemps. A l'hôtel de Paris, Olga me reçut comme si je revenais d'entre les morts. Une autre personne — dont la présence me surprit m'accueillit avec chaleur : l'inspecteur Reynès. Tout de suite, il me pria de lui accorder quelques minutes d'entretien. J'acceptai, n'ayant aucune raison de froisser ce fonctionnaire aimable et nous prîmes place dans la salle du fond où les couverts étaient déjà dressés pour des clients qui ne se présenteraient pas avant une heure ou deux.

— Monsieur Norrey, j'espère que vous ne me tiendrez pas rigueur de vous ennuyer dès votre retour, mais j'ai réfléchi à ce qui vous est arrivé...

— Et alors ?

— Et alors, je suis arrivé à cette conclusion : vous n'avez peut-être pas été victime d'un accident.

Je feignis de ne pas comprendre.

— Vous en avez de bonnes ! Vous estimez que ce serait plutôt une tentative de suicide de ma part ?

— Non... un attentat.

Je le regardai avec une stupeur à laquelle je m'efforçai de donner le plus de naturel possible.

— Un attentat ?... Mais, pourquoi ?

— C'est bien justement ce que je cherche... Vous arrivez à Poitiers où, pratiquement, à part quelqúes relations, nul ne vous connaît... Vous venez travailler auprès du professeur Montanay, ce qui exclut toute autre activité secondaire... Et voilà qu'on assassine le concierge du laboratoire où vous entrez... que, par hasard, vous êtes le témoin susceptible de nous mettre sur les traces du meurtrier... et vous échappez de justesse à ce qui pourrait passer aux yeux de tous pour un accident. Vous ne trouvez pas ça bizarre ?

— Ma foi, maintenant que vous m'en parlez...

— Cette auto qui a failli vous écraser... Vous ne l'aviez pas entendue venir dans cette rue déserte et à cette heure-ci ?

— Ma foi, non.

— Concevez avec moi que c'est quand même surprenant, non ? A mon idée, monsieur Norrey, vous n'avez pas entendu approcher cette voiture, parce qu'elle était arrêtée et que son conducteur vous guettait.

— C'est évidemment possible... Mais cela ne répond toujours pas à notre pourquoi ?

— On pourrait peut-être y répondre, monsieur Norrey, si vous vouliez me confier la raison de votre expédition nocturne dans ce quartier éloigné et pour quels motifs vous aviez jugé bon de vous faire accompagner de M. Bussonnet... Excellente initiative d'ailleurs, puisqu'elle vous a sans doute sauvé la vie... Mais pour avoir demandé à M. Bussonnet d'aller avec vous, c'est que vous redoutiez quelque chose dans le genre de ce qui s'est passé ?

— Là, inspecteur, je crois que votre imagination vous entraîne trop loin. Je me suis tout simplement rendu à un rendez-vous... amoureux et Bussonnet qui est le dévouement personnifié, a tenu à m'attendre pour que je ne rentre pas à pied.

— Sans savoir le temps que durerait votre galante rencontre ? Il est, en effet, d'un dévouement à toute épreuve... Naturellement si je vous priais de me confier le nom de la dame que vous espériez joindre, vous ne me le donneriez pas ?

— Naturellement.

L'inspecteur se tut, me regarda longuement, puis :

— Monsieur Norrey, j'estime que vous commettriez une lourde erreur en supposant que la police provinciale n'est composée que de gens bornés...

Il se leva.

— Je vous dis au revoir, monsieur Norrey, car je suis persuadé que nous aurons encore l'occasion de converser ainsi à cœur ouvert... Ah ! pendant que j'y pense, j'ai consulté la liste des habitants de cette rue des Quatre-Cyprès... Eh bien, figurez-vous qu'y demeure une certaine Mme Gomez qui est la mère de Judith Fenioux, la veuve du concierge assassiné ! Vous ne vous en seriez pas douté, n'est-ce pas ?

Le policier me laissa sur cette remarque ironique et, en moi-même, je dus convenir que ce garçon s'affirmait beaucoup plus intelligent qu'il n'en avait l'air et qu'il me faudrait, à l'avenir, me méfier de lui si je ne voulais pas qu'il me crée pas mal de désagréments.

J'aime beaucoup Poitiers. Parmi les villes d'Europe que je connais, c'est une de celles où je me sens le plus à mon aise. On y a l'impression de marcher dans l'histoire. A chaque angle de rue on change de siècle aussi facilement qu'on change de trottoir. Peut-être est-ce ce passé ne se laissant jamais oublier qui, joint aux modérations d'un climat sans excès, veut qu'à Poitiers plus que nulle part ailleurs, on puisse goûter les douceurs de la province française. Pour effacer la gêne que m'imposait la démarche entreprise en me rendant chez Judith Fenioux, au début d'une nuit s'annonçant fort belle, j'empruntai le chemin des écoliers. Par le boulevard de Solférino, la place Alphonse-Lepetit, la rue du Palais, la rue de l'Université, je gagnai l'admirable Notre-Dame la Grande puis, par la cathédrale Saint-Pierre, le baptistère du Temple Saint-Jean, je remontai vers la place du Général-Leclerc et le quartier Saint-Hilaire pour arriver à la villa Montanay à environ 22 heures.

En me voyant, Judith Fenioux ne cacha pas son irritation.

— Encore vous. Je n'ai rien à vous dire !

— Mais moi, j'ai à vous parler. Vous êtes seule ?

— Evidemment que je suis seule et votre visite, si tard, peut nuire à ma réputation ! Laissez-moi tranquille !

— Rien qu'une minute ?

Je dus prendre une voix de circonstance car elle me regarda curieusement et, finalement, se résigna.

— C'est bon, entrez, mais pas longtemps.

Dans la pièce où j'étais déjà venu, il n'y avait, ce soir-là, pas trace de la présence d'une tierce personne. Lorsque nous fûmes installés, Judith prit immédiatement la parole :

— J'ai su que vous aviez été victime d'un accident !

— Puis-je vous confier un secret en étant certain que vous le garderez pour vous ?

— Je pense que oui... si c'est nécessaire ?

— Ça l'est... On a voulu me tuer.

— Vous tuer ?

— En m'attirant rue des Quatre-Cyprès où habite votre mère.

— Ma mère ? Je ne vois pas le rapport...

— On a téléphoné à mon hôtel pour m'apprendre que vous m'attendriez chez votre mère, ce soir-là, à 20 heures.

— Oh !... Mais pourquoi y êtes-vous allé ?

— Parce que j'espérais tellement vous revoir que je n'ai pas réfléchi...

— Je ne comprends pas ?

— Depuis ma visite, je ne peux pas m'empêcher de penser à vous...

C'était un peu gros mais Judith ne se montrait pas d'une intelligence particulièrement aiguë et puis, elle était flattée de constater que des intellectuels s'intéressaient à elle. Elle perdit de sa raideur et me laissa lui faire une cour empressée sans témoigner de la moindre lassitude. Lorsque je la quittai, nous étions les meilleurs amis du monde et elle m'autorisa à revenir la voir le lendemain. Avant de partir, je me permis — arguant d'une jalousie qui me dévorait — d'évoquer les racontars la disant du dernier bien avec Milorad Stepanic. Elle eut un rire de gorge.

— Milorad est un brave garçon... maladroit mais attendrissant... C'est un ami et rien qu'un ami, je vous assure... Il me distrayait en me parlant de son pays et je me sens si seule dans cette ville...

Comme je marquais une légère incrédulité justifiée par ma tendresse avouée, elle ajouta en me serrant la main :

— Mais si cela doit vous causer de la peine, je lui demanderai de cesser ses visites.

Toute ma personne traduisit une telle jubilation devant cette proposition qu'elle ne put manquer d'y découvrir la preuve irréfutable de ma soudaine passion à son endroit.

Redescendant vers l'hôtel de Paris, je ne m'illusionnais pas sur mes dons de séducteur, Judith Fenioux n'étant pas de ces places fortes dont il faut longuement mener le siège pour les réduire.

Et pendant une semaine, je jouai le rôle de l'amoureux se glissant à la nuit chez sa bien-aimée à qui j'évitais soigneusement de parler du problème nous ayant mis en contact et sans aucun doute, ce silence, ce désintéressement, la rassuraient. Je ne doutais pas d'arriver à mes fins et de l'amener aux confidences que je souhaitais. Mais, Poitiers n'est pas une grande ville et au bout de quelques jours mes visites nocturnes furent repérées. Un soir, alors que je m'apprêtais à partir, Bussonnet m'interrogea :

— Tu te rends chez la belle Judith ?

— Ah ! tu es au courant ?

— Comme tout le monde... Guillaume, c'est pour le plaisir ou pour le boulot ?

— Voyons, Robert... pour le boulot, bien sûr !

— Et... elle le sait ?

— Non.

— Tu ne penses pas que tu es un peu dégoûtant sur les bords ?

— Si je ne l'étais pas, comment ferais-je mon métier ?

Quant à Olga, elle commençait à me battre froid, de plus en plus convaincue que mes mœurs dissolues finiraient par influencer son mari. Mais, c'est au laboratoire que l'existence me devenait difficile. Milorad ne m'adressait pratiquement pas la parole et, en arrivant, je ne lui tendais plus la main depuis qu'il m'avait infligé l'affront de la refuser. Moriss me raillait ouvertement mais celui-là, son ironie ne me touchait guère car je savais que je le coincerais un jour ou l'autre et qu'il paierait tout l'arriéré de notre contentieux d'un coup. Ce qui me touchait davantage, c'était l'attitude de Madeleine. Je l'avais rencontrée dans le jardin de la ville et, comme je m'apprêtais à échanger quelques mots avec elle, elle m'avait arrêté net :

— Monsieur Norrey, je vous serais obligée de ne plus m'adresser la parole. Je ne voudrais pour rien au monde susciter la jalousie de Mme Fenioux. Quand l'emmenez-vous à Brouage ?

— Vous êtes injuste parce que vous ne comprenez pas.

— Je ne suis pourtant pas sotte à ce point-là et votre aventure manque d'originalité. En constatant où vous portent vos inclinations, je me sens rétrospectivement humiliée et je ne vous pardonnerai jamais cette humiliation.

Le chagrin que je ressentis de cette rupture me rendit d'une telle humeur que je faillis me colleter avec Stepanic dont je n'acceptais pas la grossièreté. Moriss intervint le premier et sous prétexte de nous calmer, Milorad et moi, m'adressa quelques sarcasmes que j'encaissai fort mal.

— Occupez-vous donc de vos chats, Moriss ! Vous n'êtes pas bon à grand-chose d'autre !

— Souhaiteriez-vous que je marche sur vos brisées ? Dans ce cas nous pourrions former un syndicat ?

Je m'apprêtais — ayant perdu tout contrôle — à le gifler lorsque Larcat m'arrêta.

— Je vous en prie, Norrey ! Votre vie privée ne regarde personne, mais nous sommes en province, vous semblez l'avoir oublié. Il y a un minimum de sacrifices à l'opinion publique qui est nécessaire.

— Vous êtes un peu jeune pour me donner des leçons, non ?

— Je pense que l'âge ne compte pas quand il s'agit de combattre la vulgarité, une vulgarité qui devenant la fable de la ville, éclabousse la maison où vous travaillez !

Les choses étaient sur le point de se gâter très sérieusement et j'ignore ce qu'il serait advenu de tout cet imbroglio si le professeur Montanay ne s'était montré et pour une fois, fort en colère.

— Messieurs...

Il y avait assez d'autorité dans sa voix pour nous imposer silence.

— Messieurs, le bruit de votre querelle est venu jusqu'à ma table de travail et cela je ne l'admets pas, je ne le supporte pas ! Je tiens à dire ici que le comportement de Norrey en dehors de ce laboratoire ne regarde que lui et personne d'autre, surtout pas des étrangers à nos mœurs et à nos coutumes qui seraient mal venus de prétendre à donner des leçons sur ce chapitre à un de mes compatriotes. Quant à vous, Jacques, vous voudrez bien vous rappeler que Norrey est votre aîné aussi bien par le savoir que par l'âge... Venez avec moi, Norrey.

Je suivis le professeur dans son petit laboratoire

particulier. Lorsqu'il eut refermé la porte sur nous, il me demanda :

— Enfin, voyons, qu'est-ce qui se passe ? Pourquoi cette coalition contre vous ? Pour quelles raisons ma femme s'est-elle opposée à ce que je vous invite à partager notre repas dimanche ?

— Parce que tout le monde s'imagine que je suis l'amant de Mme Fenioux.

— Judith ?... la concierge ? En voilà une idée !

— Une idée que les apparences semblent justifier. J'entoure cette dame de mille prévenances, je lui rends de fréquentes visites pour des raisons que je ne puis encore expliquer... Si bien que Stephanic, me tenant pour un rival triomphant, rêve de m'étriper, que Moriss — par solidarité, j'imagine, et pour d'autres motifs que je soupçonne et dont je parlerai aussi le moment venu — croit de son devoir d'épouser la querelle du Yougoslave, Larcat enfin, parce qu'il se fait l'écho de la réprobation dont je suis sans doute l'objet auprès de Mme Montanay et de sa sœur.

— Mais, tonnerre de bonsoir, en quoi est-ce que ça les regarde ?

— Ce n'est pas moi qui pourrais vous répondre.

— Bon, je tirerai toute cette histoire au clair... Je ne puis tolérer que qui que ce soit s'instaure le juge de qui que ce soit. À propos, passons à des choses plus sérieuses et plus intéressantes. Je crois que cette fois, ça y est, Norrey. Encore une dizaine de jours de calculs et nous aborderons la dernière phase. C'est dire que j'ai du travail pour vous.

Tout en continuant à mener ma double vie de chercheur et d'amoureux, je m'aliénais les sympathies de mon entourage. Seul Bussonnet, au courant de mes véritables intentions, n'avait en rien modifié son comportement à mon égard, mais Olga — et j'en avais de la peine — évitait de rester seule avec moi, n'ayant aucune envie de renouer nos entretiens de jadis et quand, d'aventure, je jouais avec ses fillettes, je me rendais parfaitement compte qu'elle les couvait d'un regard inquiet, comme si elle me croyait capable de les pervertir. Au laboratoire, à part Montanay, on ne me parlait plus. Je n'avais pas remis les pieds chez Madeleine. On m'évitait. L'inspecteur Reynès rencontré peu après mon éclat avec les assistants du professeur, m'avait confié :

— Il paraît, cher monsieur, que vos promenades nocturnes vous amènent souvent auprès d'une jolie veuve ?

— Et en quoi cela vous intéresse-t-il ?

— Je pourrais vous répondre qu'il m'appartient de savoir ce qui se passe dans Poitiers.

— J'ignorais que la compétence de la police s'étendît jusqu'au domaine privé des citoyens.

— Dans certains cas seulement. Par exemple, lorsqu'un monsieur fréquente assidûment une dame dont le mari a été assassiné sans qu'on parvienne à mettre la main sur le meurtrier.

— Dois-je comprendre que vous me soupçonnez ?

— Pour ne rien vous cacher, ça m'arrangerait bien mais, malheureusement, lorsque Antoine Fenioux est mort, vous ne connaissiez pas encore sa femme.

— C'est, en effet, comme vous le dites, bien malheureux.

En créant ce scandale, je n'avais qu'un but : convaincre celui que je cherchais que j'allais obtenir de Judith la révélation de son identité et l'obliger par-là à se livrer à une nouvelle agression contre ma personne. Certes, il y avait de gros risques mais cette fois, je me tenais sur mes gardes. Par instants, je me disais qu'il pourrait s'en prendre à Judith elle-même, mais outre que c'eût été maladroit, car ainsi il ne ferait que renforcer mes soupçons et me pousser à continuer la lutte avec plus d'acharnement encore, il me semblait que s'il avait dû suivre cette voie, ce serait déjà une chose accomplie et que chaque jour qui s'écoulait démontrait assez l'intention du meurtrier de s'attaquer à moi seul.

Avec la veuve, les choses allaient du meilleur train. Nous en étions au stade des projets ! Nous convînmes que dès que le professeur en aurait terminé avec ses travaux dont la poursuite réclamait ma présence, nous nous en irions à Paris où nous vivrions heureux. Tout cela, vu sous un certain angle, était assez répugnant, mais qui veut la fin veut les moyens et, au service de M. Dumolard, on n'apprenait pas à se conduire en gentleman. Les héros blancs, les don Quichotte des services spéciaux n'existent que dans les romans.

Je passais des journées studieuses, car l'ingénieur que j'étais se passionnait pour les recherches de Montanay et la certitude de parvenir bientôt au résultat souhaité m'enivrait. Cependant, l'agent des services spéciaux ne pouvait manquer de se dire que l'espion sans visage était sans doute, lui aussi, au courant de l'évolution de nos travaux et qu'il ne tarderait pas à en vouloir prendre une plus complète connaissance. C'était le moment d'ouvrir l'œil. Je sus que la menace se précisait lorsqu'un soir, Judith m'annonça qu'elle ne pourrait pas me recevoir le lendemain, tout en s'efforçant de rassurer ma pseudo-jalousie. Je me doutais qu'elle m'évinçait pour recevoir le voleur à qui elle remettrait les clefs du laboratoire. Je me promis de surveiller les alentours cette nuit-là et, avant de quitter le laboratoire, je pris les vieilles précautions d'usage, tendant des fils de soie devant le meuble où Montanay et moi rangions nos papiers. Je partis le dernier et remis la clef à Judith qui insista pour que je lui affirme que je n'étais pas fâché. Je m'exécutai, mais sans enthousiasme, afin de l'entretenir dans ses illusions. Rentré à l'hôtel de Paris, j'avertis discrètement Bussonnet que je me préparais une longue surveillance nocturne et qu'il veuille bien me donner un petit en-cas et un flacon d'alcool, qui m'aideraient à rester éveillé. J'entendais, également, être le premier à pénétrer dans le laboratoire le lendemain matin. Me souvenant de la rue des Quatre-Cyprès, je n'oubliai pas mon pistolet.

Une des plus longues nuits et des plus mornes que j'aie jamais passée. Il m'était impossible de pénétrer dans le jardin de la villa dépourvu d'arbres et où j'eusse été tout de suite repéré. Rencogné sous un porche d'où je surveillais l'entrée de la propriété, je me privais de fumer pour ne pas donner l'éveil à celui qui, avant de se risquer, scruterait longuement la rue pour se rendre compte si la voie se révélait libre. Personne ne se montra. Je me sentais absolument mort de fatigue lorsque le petit matin commença à répandre de pâles lueurs. Je patientai encore, fourbu, littéralement incrusté dans le pan de mur me soutenant depuis si longtemps. Quant à mes pieds enflés, ils m'imposèrent des souffrances pénibles aux premiers pas que je fis en arrachant à mon abri précaire mes reins ankylosés. Les joies du métier.

J'eus quelque peine à réveiller Judith mais l'aspect de mon visage la laissa sans voix. Elle me tendit machinalement les clefs que je lui réclamais en arguant de mon impossibilité à trouver le sommeil et d'une tâche urgente à terminer avant l'arrivée du patron. Une allusion à mon insomnie lui rendit ses esprits et dans un sourire, elle s'enquit :

— J'espère que ce n'est pas à cause de moi que vous avez passé une mauvaise nuit.

— Si... en partie.

Et je ne mentais pas tellement.

En ouvrant la porte du laboratoire personnel de Montanay, je sus que le visiteur était venu. Les fils cassés, quelques marques déplacées. J'étais battu à plate couture. Mais, par où diable était-il venu ? J'enrageais. Il n'y avait qu'une seule explication. En quittant le laboratoire, mon bonhomme s'était rendu directement chez Judith d'où il n'était pas sorti. Mais alors, il s'y trouvait encore ? Je fonçai.

Ce coup-ci, je me heurtai à une Judith complètement désemparée par mon retour.

— Encore vous ?

Je la bousculai presque pour entrer tant j'étais exaspéré d'avoir été floué. Maintenant, c'en était fini de la romance. Il fallait qu'elle parle ou j'allais me fâcher pour de bon.

— Judith, pour quelles raisons ne m'avez-vous pas permis de venir vous rendre visite hier soir ?

Elle essaya — mais très timidement — de plaisanter.

— Encore votre jalousie ?

— Je vous en prie, ce n'est plus le moment de rire ! Vous m'avez empêché de venir parce que vous attendiez quelqu'un à qui vous deviez remettre les clefs du laboratoire, comme le faisait votre mari.

Je compris que je ne me trompais pas, à la seule manière dont elle me fixa. Lentement elle demanda :

— Qui êtes-vous, monsieur Norrey ?

— Je vous l'expliquerai quand j'aurai le temps ! Pour l'instant, j'exige la vérité !

— C'est pour en arriver à ça que vous me courtisiez, hein ? Vous, vous êtes un beau salaud !

— Peut-être moins que vous ne le pensez, car j'essaie de vous éviter la prison ! A qui avez-vous donné les clefs ?

— A personne.

Une entêtée.

— Combien vous a-t-on remis ?

— Je ne comprends pas.

— Bon, eh bien, puisque vous le prenez comme ça, nous allons parler franchement. Asseyez-vous !

Elle obéit, mais sans manifester la plus légère appréhension. Quelque chose ou quelqu'un lui donnait assez d'assurance pour s'imaginer pouvoir triompher de moi.

— Judith, que vous l'admettiez ou non, vous m'êtes sympathique...

— Ça va... J'ai été assez bête pour marcher une fois, vous ne m'aurez pas deux.

— ... vous m'êtes sympathique, je le répète et j'ai le sentiment que vous n'avez absolument pas conscience du guêpier dans lequel, à la suite de votre époux, vous vous êtes fourrée.

Butée, elle protesta :

— Je ne comprends pas.

— Votre mari touchait de l'argent de quelqu'un qui, la nuit, se rendait dans le laboratoire et photographiait les notes du professeur.

— C'est vous qui le dites.

— Vous savez très bien que c'est la vérité. Votre mari est mort parce qu'il avait parlé.

— En admettant que ce que vous racontez soit vrai, le même sort m'attendrait, non ?

— Mais comprenez donc, tête de mule, qu'il vous attend de la même façon, que vous vous taisiez ou non ? Le meurtrier d'Antoine se débarrassera de vous dès qu'il en aura fini avec son travail. Il ne peut pas se permettre de vous laisser vivre puisque vous connaissez son visage. Vous seriez une menace constante pour lui. Votre seule chance de vous en tirer, c'est moi. Confiez-moi le nom de celui que je cherche et je vous remettrai de l'argent pour filer où bon vous semblera. Personne ne sera au courant de vos agissements.

— Si vous l'arrêtez, qu'est-ce qui l'empêchera de parler de moi ?

Je poussai un soupir de soulagement. Ça y était, enfin.

— Il n'y aura pas d'arrestation.

— Mais...

— Je le tuerai.

Je dus prononcer ce verdict avec une telle résolution qu'elle en demeura un instant la bouche ouverte avant de balbutier :

— Qui... qui êtes-vous ?

— Moins vous en apprendrez, mieux cela vaudra pour votre tranquillité future.

Elle parut réfléchir, puis :

— Revenez ce soir, à l'heure habituelle. J'aurai pris une décision.

Rien ne put la faire démordre et, bon gré mal gré, je dus la quitter sur sa promesse de mettre le soir même un point final à cette histoire.

Je vécus toute la journée dans un état de tension extrême. Il me semblait que les heures coulaient avec une lenteur infinie. Avant de quitter l'hôtel de Paris, le moment de ce que j'espérais être mon ultime rendez-vous approchant, j'empruntai discrètement deux mille francs à Bussonnet qui s'exécuta en soupirant :

— A partir d'un certain âge, l'amour coûte cher...

De même que la première fois où je lui rendis visite, la lumière brillait dans la pièce où Judith avait coutume de me recevoir. Je frappai discrètement à la porte. Tout autour de moi c'était le silence, mais le silence charnu des nuits d'avant printemps, composé des mille petits bruits qu'on n'entend plus et qui forment un fond sonore. On éprouve un sentiment de quiétude, de réconfort... A Poitiers on est dans une ville, certes, mais qui n'a point encore rompu avec la campagne toute proche. La douceur provinciale. Que fabriquait donc Judith ? Je cognai un peu plus fort sans davantage de résultat. Se paierait-elle ma tête ? Si elle tenait à me persuader qu'elle était sortie, elle aurait dû éteindre la lampe ! Je sortis de ma poche un de ces petits instruments indispensables à tous ceux qui, par profession ou par goût, sont appelés à ouvrir des portes dont ils n'ont pas les clefs. J'entrai rapidement, étouffant l'écho de mes pas pour causer une jolie surprise à celle qui s'imaginait débarrassée de moi. Mais, la surprise fut pour moi.

Au milieu de la pièce, dans laquelle je ne distinguais par la moindre apparence de lutte, Judith était roulée en boule sur le plancher. On pouvait penser qu'elle était simplement tombée de son fauteuil.

Avant de m'en assurer, je savais que la belle veuve ne jouerait plus le jeu imprudent où elle s'imaginait s'enrichir. Je la retournai pour découvrir la même blessure que portait le corps d'Antoine Fenioux. La même arme. Le même tueur. Je contemplai le sang maculant mes doigts. Les douceurs provinciales...

Par chance, l'inspecteur Reynès se trouvait encore au commissariat. Il vint au téléphone et, sur ma demande, me déclara qu'il arrivait.

Reynès contemplait la dépouille de Judith Fenioux puis, relevant la tête :

— C'est vous ?

— Si c'était moi, je ne vous aurais pas appelé.

— Qui sait ?

— En tout cas, regardez-la de plus près, vous constaterez qu'elle a été assassinée de la même façon que son mari.

— Et alors ?

— Puisque vous avez admis que je n'étais pas le meurtrier d'Antoine Fenioux.

— On peut revenir sur une opinion. Et maintenant, recommencez à m'expliquer comment vous avez découvert le cadavre.

Je m'exécutai, omettant simplement l'emploi du petit instrument qui m'avait permis d'entrer par effraction. J'espérais qu'il ne prêterait point attention à la chose. Je me trompais.

— Si je comprends bien, monsieur Norrey, vous êtes arrivé, vous avez frappé et on ne vous a pas ouvert ?

— Et pour cause.

— Dans ces conditions, monsieur Norrey, si on ne vous a pas ouvert, comment se fait-il que je vous rencontre à l'intérieur de cette maison ?

CHAPITRE IV

J'étais coincé. Il m'apparaissait trop évident que je ne pouvais me tirer de ma fâcheuse situation qu'en révélant la vérité à Reynès. Je le croyais assez intelligent pour comprendre du premier coup et me faciliter ma tâche par la suite, au lieu de l'entraver.

— Eh bien ! monsieur Norrey, votre réponse ?

— Vous m'obligez à faire quelque chose qui ne m'est pas habituel.

— Et qui est ?

— De vous avouer qui je suis.

Il ne parut pas aussi surpris que je le prévoyais.

— Vous ne vous appelez pas Guillaume Norrey ?

— Si.

— Alors, vous n'êtes pas ingénieur ?

— Si... Mais je suis aussi l'agent Norrey, des services spéciaux.

— Ah !... Naturellement, vous pouvez le prouver ?

— Je vous donnerai les numéros de téléphone où vous vous renseignerez.

— Bon. En attendant, si vous me confiiez la raison de votre présence à Poitiers ?

Ce que je fis. Lorsque j'eus terminé, il résuma la situation.

— Si je vous ai bien compris, il y a auprès de Montanay quelqu'un, sans que le professeur s'en doute, qui photocopie ses recherches et les vend à l'étranger. Pour arriver à ses fins, l'espion s'était assuré les services d'Antoine Fenioux en le rétribuant largement ?

— Exact.

— Seulement Fenioux qui avait un peu bu, s'est montré trop bavard et on l'a tué pour ne pas courir de risques.

— C'est ainsi que je vois les choses.

— Parce que de notoriété publique Mme Fenioux détestait son mari, le meurtrier n'hésite pas à s'adresser à la veuve pour continuer la tâche de l'époux qu'il a assassiné.

— Et Judith Fenioux accepte.

— Seulement, vous intervenez. Déjà, c'est à cause de vous qu'Antoine est mort car c'est vous qui avez mis l'assassin dans l'obligation de tuer le concierge. C'est encore à cause de vous que sa femme a subi le même sort. D'accord ?

— D'accord, à une nuance près. On n'aurait pas assassiné Judith si l'on ne m'avait manqué rue des Quatre-Cyprès, car si Mme Fenioux a pu s'illusionner sur les sentiments que je lui portais, mon adversaire, lui, ne s'y est pas laissé prendre. Il avait parfaitement deviné les raisons de mon empressement auprès de la veuve et c'est pourquoi il a essayé de m'avoir. Son coup raté, il s'est retourné vers Judith, qui a dû lui faciliter les choses en tâtant du chantage. Sans doute lui aura-t-elle, fort imprudemment, parlé de mon offre, dans le but de provoquer une surenchère.

— Et vous êtes certain que cette nuit, l'espion a opéré ?

— Absolument certain.

— Bien entendu, pour ce qui relève de l'espionnage je n'ai pas qualité pour agir. Moi, ce qui m'intéresse c'est de mettre la main sur le meurtrier d'Antoine et de Judith Fenioux... autrement dit, nos actions sont jumelées. Avez-vous une idée ?

— Il ne me semble pas possible que le coupable puisse se trouver en dehors du quatuor Moriss, Stepanic, Larcat et Montaney.

— Si c'était le professeur, il n'aurait nul besoin d'emprunter la clef au concierge pour entrer dans le laboratoire.

— C'est juste, aussi ne faudrait-il envisager sa culpabilité que sous forme d'une association, par exemple avec Larcat.

— Ça n'éliminerait pas le fait que le professeur pourrait passer sa clef à son complice.

— Non, car les concierges auraient pu surprendre Larcat au travail dans le laboratoire, en pleine nuit et s'en étonner si l'événement se renouvelait. N'oubliez pas que Fenioux était chargé d'exécuter des rondes nocturnes, d'où la nécessité de sa complicité.

— Ça me semble un peu gros tout de même...

— A moi aussi... Dans ce genre de choses, les gens travaillent rarement à deux. Je crois plutôt à la culpabilité de Moriss ou de Stepanic.

Reynès réfléchit un instant avant de remarquer :

— Et si vous vous trompiez du tout au tout ?

— C'est possible mais... comment ?

— Avant votre arrivée, Stepanic et Judith Fenioux filaient le parfait amour. Vous survenez et c'en est fini du Yougoslave. L'homme est d'humeur difficile. Il devient fou de rage et essaie de se débarrasser de vous rue des Quatre-Cyprès et il tue Judith qui lui annonce son départ.

— Et le meurtre d'Antoine dans tout ça ?

— Crime crapuleux. Le meurtrier a simplement voulu s'emparer de l'argent que le concierge a imprudemment exhibé au café. Qu'est-ce que vous en dites ?

— Que vous ne tenez aucun compte du fait que Judith a passé les clefs du laboratoire cette nuit à quelqu'un qui a photographié les papiers du professeur.

— C'est vrai... Bon, et maintenant que faisons-nous ?

— D'abord téléphoner à Paris.

— Vous savez qu'il est plus d'une heure du matin ?

— Celui que j'appelle ne dort jamais.

Lorsque j'eus M. Dumolard au bout du fil, je passai l'écouteur à Reynès.

— C'est Guillaume, monsieur.

— Et alors ? Qu'est-ce qui vous prend de m'appeler en pleine nuit ?

— Moi, je ne dors pas et je suppose que tout le monde est dans mon cas.

— Au lieu de vous livrer à des réflexions **idio**tes, dites ce que vous avez à dire.

— Mon second intermédiaire est mort de la même façon que le premier.

— Vous n'attendez pas que je vous félicite, n'est-ce pas ?

— On a essayé de me supprimer.

— A cette heure-ci, il ne faudrait pas me forcer beaucoup pour vous assurer que je regrette qu'on vous ait manqué !

— Merci. De plus, mon type a photographié nos papiers cette nuit et cette fois c'est très important, monsieur, car avec ce qu'il a en sa possession, des spécialistes pourraient aboutir aux mêmes conclusions que le professeur.

M. Dumolard eut un rire amer.

— Et pendant ce temps, vous jouez au bridge, sans doute ? Voulez-vous mon avis, Guillaume ? vous êtes complètement fini ! Je n'aurais jamais dû vous rappeler et vous laisser à vos tristes amours... Je suis aussi coupable que vous. Vous rentrez ?

— Non.

— Pourquoi ?

— Parce que je veux avoir le salopard qui a essayé de m'écraser.

— Tiens, tiens, seriez-vous moins ramolli que je ne le pensais ?

— Je suis sûr d'avoir bientôt mon homme.

— Je vous le souhaite si vous désirez continuer à travailler pour moi.

— Monsieur, je voudrais vous demander quelque chose...

— Je vous écoute ?

— Celui que je cherche va essayer de vendre ce qu'il a volé cette nuit. Il est obligé d'agir vite car nous sommes bien près de mettre un point final aux travaux du professeur.

— Et alors ?

— Si l'espion, comme j'en suis persuadé, est un des assistants du professeur, il ne peut quitter le laboratoire sans se dénoncer du même coup. Il va donc recevoir probablement un intermédiaire, car les deux hommes que je soupçonne vivent absolument isolés... Je vous prie d'alerter tous vos indicateurs au sujet de mouvements insolites des grands courtiers qu'ils connaissent.

— D'accord. Bonsoir.

Lorsqu'il eut raccroché l'écouteur, Reynès me dit :

— Pardonnez-moi de vous avoir ennuyé, monsieur Norrey, mais je ne pouvais me douter.

— Aucune importance. Maintenant, examinons la façon dont nous devons nous arranger pour parer le mauvais coup de mon adversaire, qui a voulu me laisser en tête à tête avec un cadavre.

Reynès se montra des plus compréhensifs et accepta, par goût du sport, de prendre des risques. Nous sommes ressortis discrètement de la maison des concierges en refermant la porte de telle façon que nul ne pourrait se douter qu'elle avait été fracturée. Je suis, sur ce point, d'une certaine habileté. Le policier et moi étions convenus d'attendre que quelqu'un nous signale la mort de Judith Fenioux et que, pour dérouter l'assassin, au cas où on enquêterait à mon sujet, il accepterait l'alibi que je lui fournirais en déclarant que j'avais passé la soirée en compagnie de Bussonnet. Pour cela, il me fallait évidemment convaincre Robert de marcher avec nous, mais je ne me faisais pas de mauvais sang à ce sujet, Robert me connaît assez pour savoir dans quel sens j'agissais.

Le matin, en me levant, je priais le patron de l'hôtel de Paris de monter me parler dans ma chambre. Il obtempéra en rechignant quelque peu, car il aimait faire la grasse matinée. Il entra maugréant :

— Qu'est-ce qu'il y a encore ?

— J'ai voulu te remettre tout de suite les deux mille francs que tu m'as prêtés hier.

— Pourquoi ? La dame n'en a pas voulu ?

— Je n'ai pas eu le loisir de connaître son avis.

— Parce que ?

— Parce que lorsque je suis arrivé, elle était morte.

Cette nouvelle dissipa les brumes de sommeil lui embuant encore le regard.

— Tu veux dire que, comme son mari, on l'a ?...

— Oui.

— Alors, tu es dans de sales draps ?

— Non... si du moins tu acceptes de me donner un coup de main ?

Il me regarda avec méfiance.

— Toi, tu vas encore m'entraîner dans une drôle de combine... Enfin, dis toujours ?

D'apprendre que Reynès me prêtait son appui le rasséréna. Je lui exposai ce que le policier et moi attendions de lui. La chance voulait qu'il eût fermé l'hôtel d'assez bonne heure la veille au soir et qu'il n'ait pas eu de clients attardés. Après quelques hésitations légitimes, Bussonnet m'assura que je pouvais compter sur lui tout en déclarant :

— Heureusement que je te connais depuis pas mal de temps et que je sais le métier que tu exerces, sans ça... Mais, dis donc, et Olga ?

Evidemment, c'était l'écueil, car Olga n'ignorait pas que j'étais sorti. Olga qui, depuis quelque temps, me marquait une froideur s'accentuant au fil des jours, au fur et à mesure qu'elle se persuadait s'être trompée sur mon compte.

— Ecoute, Robert, raconte tout à Olga, puisqu'il n'y a pas moyen d'agir autrement...

Il en parut soulagé.

— Je préfère... Vois-tu, ça m'embêtait de tenir Olga à l'écart de nos histoires, d'abord par ce que je n'aime pas lui faire de cachotteries, ensuite parce qu'elle se braquait de plus en plus contre toi... Et puis, tu peux avoir confiance. Elle aussi sait se taire quand elle veut... Veux-tu mon opinion, Guillaume ? Tu vas monter dans son estime quand je lui aurai confié que tu appartiens aux services spéciaux !

— A la cadence où je suis obligé de mettre tout le monde au courant de mes activités, ces services spéciaux vont être aussi connus que n'importe quel service public !

J'arrivai au laboratoire à 9 heures ainsi que chaque jour. En passant devant la maison des concierges, j'eus un petit serrement de cœur. Pauvre Judith... Si elle avait été un peu moins avide, un peu plus intelligente... Nous avions, Reynès et moi, laissé la lumière allumée comme nous l'avions trouvée en entrant et cette lumière finirait bien par attirer l'attention. Je m'apprêtais à jouer le rôle du monsieur surpris par une nouvelle d'autant plus affreuse qu'elle serait inattendue.

Montanay était déjà au travail ainsi que Larcat. Ils me saluèrent froidement. J'eus le sentiment que le professeur avait subi de nouveaux assauts de la part de Madeleine et de sa sœur à mon sujet. Moriss et Stepanic, penchés sur leurs appareils, ne daignèrent pas me prêter la moindre attention. Le professeur me tendit une liasse de papiers :

— Tenez, Norrey, si vous vouliez vérifier tous ces calculs vous m'avanceriez.

Je pris le dossier qu'on m'offrait et me mis à l'écart pour me purger l'esprit dans les plaisirs sereins et froids des mathématiques.

La matinée coulait doucement dans un silence qu'entrecoupaient de temps à autre les grognements poussés par Milorad s'invectivant lui-même pour une maladresse ou pour s'exciter au travail. Soudain, vers 11 heures, un cri de femme retentit dans le jardin. De même que mes compagnons, je me dressai, m'efforçant, moi aussi, de prendre l'air interrogatif. Larcat se précipita vers la porte en assurant :

— C'est Colette !

Mais la porte s'ouvrit avant qu'il ne l'atteignît et Colette apparut, blanche comme un linge. Son fiancé la reçut dans ses bras où elle éclata en sanglots.

— Colette ! Qu'est-ce qu'il y a ?

Tous, nous nous agglomérâmes autour de la jeune fille, Montanay l'adjura de parler. Reniflant ses larmes, elle balbutia :

— Judith...

— Eh bien ? Quoi ?

— Elle est morte.

Je m'efforçai de m'exclamer en même temps que les autres auditeurs de cette nouvelle :

— Morte ?

Pressée de questions, Colette nous confia qu'ayant à parler à Judith au sujet d'une modification dans un manteau — la concierge se voulait couturière à ses moments perdus, mais s'occupait surtout, en ce domaine, de réparations — elle avait longuement et vainement frappé à la porte. Voyant

112

de la lumière, elle s'était approchée de la fenêtre, intriguée, et par une lame disjointe d'un volet, elle avait aperçu le corps de la jolie veuve sur le sol. Nous nous précipitâmes, Stepanic en tête. En deux coups d'épaule, nous enfonçâmes la porte pour nous trouver devant le spectacle que je connaissais. Le Yougoslave se jeta littéralement sur le corps qu'il souleva et c'était un spectacle assez atroce que cette morte tenue comme une vivante. Donnant l'impression qu'il réalisait seulement à ce moment-là ce que Colette était venue annoncer, il dit :

— Judith est morte.

Il la reposa doucement, tendrement, dans le fauteuil, appuyant sa tête sur le dossier et c'est alors qu'il remarqua le sang sur ses mains. Il nous montra ses doigts et gémit :

— Son sang...

De nouveau, il empoigna le cadavre pour l'examiner et ne tarda pas à découvrir la blessure sous l'omoplate.

— On l'a assassinée...

Sans que rien ne m'ait mis en garde, à peine avait-il prononcé ces mots, qu'il se jetait sur moi et me frappait durement au visage. Je roulai sur le sol tandis que les autres immobilisaient Milorad. Le professeur outré, **cria :**

— Vous n'avez pas honte ? En pareil lieu ? En un pareil moment ? Stepanic, vous n'appartenez plus à mon laboratoire. Rentrez chez vous et préparez vos valises !

Milorad hurla à Montanay en me désignant :

— Mais vous ne comprenez donc pas que c'est lui qui l'a tuée ?

Larcat m'aida à me remettre sur pied. Je montrai le téléphone et dit à Montanay :

— Qu'attendez-vous pour alerter la police ?

Après une légère hésitation, le professeur s'exécuta et l'inspecteur Reynès qui guettait cet appel,

113

annonça son arrivée immédiate. Le coup que m'avait porté Stepanic me faisait mal et cette douleur jointe aux fatigues des nuits précédentes m'obligèrent à m'asseoir tant la tête me tournait. Montanay demanda à Colette de me conduire à la villa. Quand la jeune fille et moi nous trouvâmes seuls, elle chuchota :

— Ce n'est pas vous, n'est-ce pas ?

— Vous estimez que j'ai une tête d'assassin ?

— Je ne pense pas que les assassins montrent un visage particulier surtout quand ils tuent sous l'empire de la passion.

— Sauf qu'il est toujours triste de voir mourir un être humain avant son heure, la disparition de cette pauvre femme m'indiffère...

Nous pénétrions dans le salon au moment où je prononçai ces mots et je découvris Madeleine qui semblait, nous regardant entrer sa sœur et moi, ne pas en croire ses yeux. Tout de suite, elle réagit :

— Colette ! Pourquoi amènes-tu ce monsieur ici ? Je te prie de le reconduire immédiatement ou c'est moi qui m'en vais !

La jeune fille répliqua avec une certaine lassitude, me parut-il :

— Madeleine, ce n'est plus le moment de monter sur tes grands chevaux ! Stepanic vient de frapper M. Norrey fort brutalement. C'est ton mari qui m'a priée de le faire se reposer un moment ici... avant l'arrivée de la police.

— Vous avez alerté la police parce que les deux soupirants de Judith se sont battus ?

— Non, parce que Judith Fenioux est morte.

— Morte ?

Je vis blanchir les doigts de Madeleine crispés sur le dossier de la chaise où elle s'appuyait.

— Assassinée comme son mari... Asseyez-vous, monsieur Norrey... désirez-vous boire quelque chose ?

— Non, merci... c'est passé... Un moment de

faiblesse... Je n'ai pas beaucoup dormi ces nuits passées.

Tout en parlant, je surveillais Madeleine du coin de l'œil. Etait-ce une illusion, mais il me semblait qu'elle se forçait pour paraître horrifiée par l'annonce de la fin brutale de la concierge.

— Colette... qui l'a tuée... c'est ?...

— Non, Madeleine... Je ne pense pas que ce soit M. Norrey... d'ailleurs, il me l'a affirmé.

Madeleine haussa les épaules.

— Je n'ignore pas que M. Norrey ne manque pas d'imagination et qu'il raconte merveilleusement les histoires !

Elle commençait à m'embêter. Je me levai.

— Madame, il se peut que la chose vous surprenne, mais je n'ai point pour distraction de tuer mes semblables et plus particulièrement les concierges !

Elle se redressa pour me lancer :

— A moins qu'elles ne soient des maîtresses infidèles ?

Au lieu de lui répondre sur le même ton, je me mis à rire et mon rire la déconcerta.

— Je suis au regret de vous apprendre, madame, que Mme Fenioux n'était pas ma maîtresse... que mes goûts, vous l'ignoriez évidemment, ne m'inclinent pas à ce genre de tendresse et que, si je devais tuer les femmes qui m'ont menti dans la vie ou qui ont abusé de la foi que j'avais en elle, je me trouverais au bagne, sinon depuis longtemps, mais depuis deux années au moins.

Mme Montanay rougit jusqu'à la racine des cheveux. Colette qui, grâce aux confidences de sa sœur, pouvait juger ma perfidie, ne put se retenir de sourire. Madeleine tourna son irritation contre elle.

— Ça t'amuse ?

— Allons, Madeleine, c'est toi qui portes des

accusations contre M. Norrey, tu ne peux t'étonner qu'il te réponde de la même manière !

J'intervins :

— Je n'ai noué des relations d'affaires avec Mme Fenioux que parce qu'elle était susceptible de m'apporter des renseignements sur la mort de son mari.

— Et à quel titre la mort de son mari vous intéresse-t-elle ?

— Je suis un policier amateur assez connu dans certains milieux et je ne détesterais pas de donner une leçon à la police poitevine et notamment à cet inspecteur Reynès qui m'a traité de façon fort déplaisante !

— Mais pourquoi lui rendiez-vous visite la nuit ?

— Je ne désirais pas que le meurtrier puisse me voir entrer chez Judith Fenioux... Lui aussi pouvait se douter que cette femme était capable, consciemment ou non, de me mettre sur la piste.

Colette ironisa.

— Il faut croire que vos précautions étaient insuffisantes.

— C'est juste et, dans un certain sens, je suis un peu responsable de la mort de Judith Fenioux.

Madeleine soupira.

— Comment deviner si vous dites la vérité ?

— Ce n'est pas à moi à vous l'apprendre, madame.

Colette qui, décidément, se voulait mon alliée, fit dévier le cours de la conversation.

— Madeleine, je ne comprends pas que tu n'aies pas entendu le cri que j'ai poussé tout à l'heure ?

— Tu as crié ?

— Je pense bien... quand j'ai découvert le corps de Judith...

— Je n'ai rien entendu.

L'arrivée de l'inpecteur Reynès et du professeur Montanay que suivait Larcat interrompit la discussion. Le policier déclara me connaître et me demanda si j'acceptais de répondre à quelques questions.

— Mais, très volontiers, inspecteur...

Montanay proposa à Reynès de passer en ma compagnie dans une pièce voisine, mais je m'y opposai.

— Ce que j'ai à dire, je puis l'exprimer devant tout le monde.

Le policier s'inclina :

— Comme vous l'entendrez, monsieur Norrey... Vous ignoriez donc la mort de Mme Fenioux jusqu'à ce que mademoiselle... (il jeta un œil sur ses papiers) Varchant... Colette Varchant soit venue au laboratoire, vous mettre, en même temps que les autres, au courant de sa découverte ?

— Je l'ignorais.

— Monsieur Norrey, la rumeur publique vous prétendait du dernier bien avec Judith Fenioux ?

— La rumeur publique se trompe, monsieur l'inspecteur, et je ne pense pas que ce soit la première fois !

— Certes !... Quoi qu'il en soit, il paraît que vous lui rendiez, depuis quelque temps, des visites nocturnes quasi quotidiennes ?

— Ce mot de visite nocturne ne me plaît guère car il pourrait laisser croire bien des choses qui ne sont pas... Disons, plus précisément, que j'allais voir Mme Fenioux le soir, afin d'être certain que nul ne nous dérangerait. Ce que nous avions à nous confier mutuellement, ne regardant strictement personne.

— Reconnaissez cependant, que c'était là des habitudes bien faites pour exciter la curiosité.

— C'est possible.

— En dépit de votre remarque touchant le secret des sujets que vous débattiez avec la victime, monsieur Norrey, je serais heureux de savoir ce dont vous parliez, qui nécessitait tant de précautions ?

Reynès jouait admirablement le jeu et j'étais résolu à signaler ce garçon particulièrement intelligent à M. Dumolard.

— Je crains de vous vexer, inspecteur.

— Me vexer ? Je ne pense tout de même pas, monsieur Norrey, que vous rejoigniez cette dame pour lui dire du mal de moi ?

— De vous, non, mais... de la police.

— Dans ce cas, rassurez-vous, vous n'êtes pas très original ; mais vous aviez vraiment besoin de venir en conspirateur chez Mme Fenioux pour blâmer la police ?

— Oui, parce que... j'étais et je demeure convaincu que le meurtrier de son mari vit dans son entourage... et c'est pourquoi je croyais bon de prendre les précautions que vous raillez.

— Monsieur Norrey, par hasard, n'auriez-vous pas la faiblesse de jouer les détectives amateurs ?

Je gonflai un peu la poitrine pour donner l'illusion du parfait vaniteux.

— J'ai déjà obtenu quelques succès dans l'exercice de ce genre d'activité.

— Et vous vous êtes mis en tête de damer le pion à la police officielle en démasquant l'assassin d'Antoine Fenioux ?

— Exactement !

— Et pour vous, cet assassin ayant découvert vos intentions a tué Mme Fenioux pour l'empêcher de parler ?

— J'en suis persuadé.

— Je vous demande pardon, monsieur Norrey, mais n'aurait-il pas été plus simple, plus logique, qu'il s'en prenne à vous ?

— Il l'a fait, inspecteur, dans la rue des Quatre-Cyprès où il a tenté de m'écraser.

— Vous m'aviez assuré qu'il s'agissait d'un accident ?

— Je ne voulais pas que celui que je cherche se doutât que j'étais sur la piste.

118

Reynès poussa un soupir excédé, parfaitement imité.

— Monsieur Norrey, me croirez-vous si je vous affirme que notre tâche serait plus facile et nos réussites plus rapides si les gens acceptaient de se conduire correctement à notre égard ? Encore un mot, qu'est-ce qui vous permettait de penser que la victime de cette nuit connaissait le meurtrier de son mari ?

— Mon intuition et certaines de ses confidences...

J'eus la satisfaction de constater, à certaines attitudes de ceux m'entourant, que si Madeleine paraissait soulagée par mes explications, les autres me considéraient comme un parfait crétin. Le policier conclut :

— Il se peut que tout ce que vous m'avez raconté soit exact, mais mon métier m'oblige à ne rien accepter pour vrai, qu'une preuve n'en vienne affirmer la véracité. Monsieur Norrey, quel a été votre emploi du temps hier soir ?

— Hier soir ? Eh bien ! en quittant le laboratoire, j'ai regagné directement l'hôtel de Paris où j'ai dîné assez tardivement vers 21 heures et après, jusqu'à environ minuit, je suis resté en compagnie de mon ami Bussonnet, propriétaire de l'établissement, à parler politique et gastronomie.

— Me permettez-vous, Monsieur Montanay, d'user de votre téléphone ?

Le professeur s'inclina.

— Je vous en prie.

Reynès composa le numéro de téléphone de l'hôtel de Paris.

— Allô ?... Pourrais-je parler à M. Bussonnet ?... de la part de l'inspecteur Reynès... Allô. Monsieur Bussonnet ?... Ici l'inspecteur Reynès... Bonjour, monsieur Bussonnet... Je vous appelle au sujet d'une vérification qui ne vous concerne pas personnellement, mais l'un de vos client... Oui... voudriez-vous avoir l'obligeance de me confier à quoi vous avez employé votre soirée d'hier... Après 21 heures, par exemple ?. Oui... Je vois... et puis-je vous demander le nom de cet ami ?... Parfait... Je vous remercie, monsieur Bussonnet, et excusez-moi de vous avoir dérangé... Merci encore.

Le policier raccrocha le téléphone dans un silence de mort et se tournant lentement vers nous :

— M. Bussonnet confirme en tout point votre alibi, monsieur Norrey.

Laissant la police, le médecin légiste et tous les services officiels s'occuper de cette pauvre Judith qui eût été si heureuse si de capter ainsi l'attention, je retournai à l'hôtel où Olga m'accueillit avec un de ses beaux sourires qui ont le don de me réchauffer le cœur et de me pousser à croire encore à la bonté du monde.

— Robert n'est pas encore rentré... Il est sorti juste après le coup de téléphone du policier.

Comme je ne répondais pas, elle ajouta en baissant la voix au point qu'il me fallut me pencher par-dessus sa caisse pour entendre ce qu'elle me chuchotait.

— Robert m'a appris... C'est formidable !... J'étais si loin de me douter... Vous pouvez compter sur moi... mais vous n'allez pas entraîner Robert trop loin dans vos histoires ?

Je la rassurai, en lui affirmant que je n'avais nulle intention d'inciter mon copain Bussonnet à déserter ses fourneaux pour les plaisirs un peu particuliers des services spéciaux. Elle en parut tranquillisée. Lorsque mon hôte revint, il s'enquit :

— Alors ? Tout a bien marché ?

— A la perfection.

— On arrose ça...

Nous trinquâmes avec un verre de chinon et une fois de plus, sous l'influence revigorante de ce vin qu'aimait Rabelais, je me demandais pourquoi je n'étais pas né vigneron... Il faut croire qu'on ne mène jamais l'existence qu'on aurait souhaitée. A mon idée, c'est cela le purgatoire.

La nouvelle de l'assassinat de Judith Fenioux suscita un intérêt considérable dans Poitiers, surtout après la disparition de son mari dans des conditions identiques. Tout le monde en parlait et, à l'heure du déjeuner, il y avait peu de foyers où l'on ne devait commenter ces tristes événements, si j'en jugeais par la passion qu'y mettaient les clients de l'hôtel de Paris. Bien que je ne prisse pas part aux conversations, je ne fus pas long à m'apercevoir que certains me regardaient à la dérobée. Quelques malins étaient sans aucun doute au courant de ma participation au drame qui venait, une fois de plus, d'ensanglanter la rue du Cuvier.

Affirmer qu'à mon retour au laboratoire dans le début de l'après-midi, je fus reçu amicalement, serait mentir. Moriss me tourna grossièrement le dos et Larcat se contenta d'un rapide hochement de tête. Ces deux-là ne me pardonnaient pas le renvoi de Milorad Stepanic. Le professeur lui-même m'accueillit avec une extrême froideur, se contentant de remarquer :

— Je suis navré, monsieur Norrey, que vous ayez cru bon de vous livrer à un genre d'activité qui ne cadre pas particulièrement avec votre présence dans ce laboratoire et dont on risque de parler un peu en ville...

— Vous ne pensez pas que la mort successive des deux concierges de ce même laboratoire, ne fournit pas plus ample matière aux conversations de vos concitoyens ?

Il ne parut pas comprendre tout de suite, puis :

— Sans doute, mais de cela la police s'occupe et j'estime qu'elle est qualifiée pour le faire sans avoir besoin de concours qu'elle ne sollicite pas.

— Merci pour la leçon.

Mon ton lui déplut.

— Monsieur Norrey, je regrette de n'avoir pas

écouté les avertissements de ma femme et de ma belle-sœur... Elles avaient deviné que vous n'étiez pas destiné à partager notre existence trop calme.

— Vous semblez avoir une idée bien particulière, monsieur le professeur, du calme, si le fait qu'un assassin rôde autour de vous, vous laisse croire que vous vivez en pleine quiétude.

— Je vous en prie, monsieur Norrey, réservez votre imagination pour vos recherches !

— Vous avez raison, monsieur le professeur... J'ai dû imaginer la mort d'Antoine Fenioux et celle de sa femme.

Excédé, il ôta ses lunettes et éleva la voix :

— A la fin des fins, que désirez-vous insinuer ? Quels rapports peuvent exister entre les Fenioux et nous, sinon qu'ils étaient concierges de cette maison ?

— Et cela ne vous paraît pas suffisant ?

— Figurez-vous que non ! Je ne me sens en rien responsable de la vie privée des Fenioux !

— Tant mieux pour vous.

— Sur ce, monsieur Norrey, mettez-vous au travail, je vous prie.

Il était évident que les choses ne pouvaient continuer de la sorte et qu'il me serait difficile de vivre encore longtemps dans une atmosphère aussi hostile, mais je suis bâti de telle sorte qu'il suffit qu'on me défende n'importe quoi pour que j'en aie envie. Je m'incrusterai au laboratoire Montanay en dépit de toutes les rebuffades jusqu'à ce que je sois arrivé à mon but. Vers 17 heures, Colette se montra, comme tous les vendredis, pour nous inviter au thé offert par sa sœur et qu'elle agrémentait elle-même de quelques pâtisseries pour lesquelles nous lui servions de cobaye. Elle avait eu la loyauté de nous en avertir. Ces messieurs prirent chapeaux et manteaux pour traverser le jardin, le temps s'étant mis à la pluie. Personnellement, je continuai à vaquer à mes travaux, estimant que l'invitation de Colette ne me concernait pas. D'ailleurs aucun de mes trois collègues ne parut se soucier de l'affront supplémentaire qui pouvait m'être infligé. Mais la sœur de Madeleine me héla de la porte :

— Ne soyez pas en retard, monsieur Norrey ! Ma tarte risque de ramollir !

Cela jeta un froid et les autres qui s'apprêtaient à sortir, suspendirent leur élan. Heureux de cette revanche, je m'empressai de me vêtir. Aussitôt, Larcat prétexta une tâche urgente oubliée pour prier sa fiancée de l'excuser de ne point paraître au thé hebdomadaire, Moriss l'imita. Impavide, j'attendais la suite des événements. Furieuse, la jeune fille s'adressa à Larcat :

— Qu'est-ce que cela signifie, Jacques ?

— Je préfère ne pas vous fournir d'explication, si vous le permettez, Colette.

— Justement, je ne vous le permets pas !

— Et bien ! disons que je préfère me passer de thé plutôt que de le prendre en compagnie de certaine personne, après les événements de ce matin. Je pense que Moriss est de mon avis, n'est-ce pas, Herbert ?

L'Anglais inclina la tête en signe d'assentiment. Colette ne devait pas être quelqu'un se laissant marcher sur les pieds.

— Venez, monsieur Norrey... Nous nous passerons de la présence des gens mal élevés. Monsieur Moriss, je doute qu'un Français se conduisant de cette façon dans votre pays, aurait votre approbation... Quant à vous, Jacques, vous vous montrez très maladroit et je vous assure que vous auriez été mieux inspiré de vous taire !

Nous partîmes côte à côte suivis du professeur maussade et silencieux.

Nous nous débarrassâmes de nos manteaux dans l'antichambre et Colette passa devant nous pour prévenir sans doute sa sœur de l'absence de deux de ses invités. La cérémonie fut empreinte de la gêne la plus affirmée et le professeur ne desserra pas les dents, se contentant de hâter le mouvement. Colette s'efforçait de relancer sans cesse une conversation qui toujours retombait. Tous, nous accueillîmes avec soulagement la fin de ce thé où nul ne songea à féliciter Colette pour sa nouvelle réussite culinaire. Nous mangeâmes sa tarte sans même y prendre garde. Lorsque Montanay se leva pour mettre un terme à la rencontre, personne ne songea à protester, au contraire. Madeleine et sa sœur nous accompagnèrent jusque dans l'antichambre et la maîtresse de maison m'aida à passer mon pardessus.

De retour au laboratoire, le professeur me glissa :

— Je vous attends dans mon coin, monsieur Norrey.

Je ne tardai pas à l'y rejoindre. Lorsqu'il eut refermé la porte sur nous, Montanay s'adressa à moi d'un ton très sec, presque hargneux :

— Monsieur Norrey, vous devez vous rendre compte des troubles profonds que votre présence jette dans notre équipe... Vous êtes le dernier arrivé. A cause de vous Stepanic nous quitte... Moriss est déjà un compagnon d'assez longue date et Larcat, vous ne l'ignorez pas, est mon futur beau-frère... Dans ces conditions, il m'apparaît que vous démontreriez votre compréhension, en me remettant votre démission.

— Non.

Mon interlocuteur s'énerva.

— Vous me surprenez !

— Vous me surprenez plus encore, monsieur Montanay. Pour quelles raisons me sacrifiez-vous aux incompréhensions bornées de vos adjoints ?

— Je demeure maître chez moi, j'imagine ?

— Bien sûr... N'importe qui est capable de commettre une action basse.

— Je ne vous permets pas de...

— Excusez-moi, monsieur le professeur, mais j'ai de difficiles calculs à terminer.

Je le plantai là, trop timide pour prendre sur lui de me flanquer carrément à la porte et fort dépité que je ne lui aie pas offert mon sacrifice. Mais du diable si je comprenais les raisons vraies de son attitude à mon endroit... Je sais bien que depuis mon arrivée, cela ne tournait plus rond, mais pourquoi s'en prenait-il à moi et à moi seul ? Me fallait-il admettre que moins naïf qu'il en donnait ou voulait en donner l'impression, Montanay, ayant deviné les motifs officiels de ma présence, entendait prendre parti pour celui que je m'efforçais de démasquer ou qu'il était lui-même le traître qu'il importait de plus en plus de découvrir ?

Redescendant vers la gare et le boulevard du Grand-Cerf, je me persuadais que le Yougoslave, malgré la haine qu'il me portait — mais pour des raisons qui n'avaient vraiment rien à voir avec la défense nationale — n'était pas mon homme. Un espion prend soin de ne pas trop attirer l'attention sur lui, à moins que cela ne réponde à un plan précis. Il ne semblait pas que ce fût ici le cas. Milorad, auteur du vol des documents, d'abord ne se serait pas amouraché de Judith Fenioux — les hommes de l'Est étant peu enclins à succomber à ces sortes de pièges — et ne m'aurait pas sauté dessus au risque — comme c'était effectivement le cas — de ne pouvoir poursuivre sa mission. Plus j'avançais dans cette histoire et plus mes soupçons se cristallisaient autour de l'Anglais, dont l'hostilité à mon endroit ne reposait sur rien, sinon qu'il connaissait mes activités discrètes et que, dès lors, il me traitait en ennemi. Et puis je ne parvenais pas à oublier le chauffeur qui, pour éviter un chat, avait accepté le risque de ne pas en terminer avec moi.

Robert Bussonnet, sa toque de cuisinier — d'où sortait, corne renversée, le crayon dont il marquait les commandes — jaillit de sa cuisine et, m'apercevant, vint à moi, protestant :

— Encore à faire la cour à Olga !

Et prenant nos voisins à témoin :

— ...Dès que je tourne les talons, il rapplique !

Il y a quelque chose de pas catholique là-dessous ! faudra que j'ouvre l'œil et le bon !

Un des clients ayant remarqué que si Bussonnet disait vrai, je témoignais du goût le plus sûr, Olga rougit comme une pivoine au soleil de juin. Bussonnet s'approcha de moi et s'enquit à mi-voix :

— Tu as faim ?

— Assez, oui.

— Dommage car il te faudra patienter.

— Pourquoi ?

— Parce que pour célébrer mes débuts dans le faux témoignage, je te prépare un poulet à la Gabrielle d'Estrées.

— Qu'est-ce qu'il a de particulier ce poulet ?

Bussonnet prit la mine inspirée de la Sibylle de Cumes lorsque le dieu la visitait et, les yeux mi-clos, récita, comme d'autres une action de grâces, mais n'en était-ce pas une ?

— Coupez en morceaux un beau poulet de grain... faites revenir ces morceaux dans un peu d'huile... quand ils ont pris une teinte blonde, jetez une poignée d'échalotes hachées et flambez avec un vieil armagnac. Ajoutez alors deux tomates concassées et mouillez avec un demi-litre de fond blanc... Laissez mijoter une demi-heure... Liez la sauce au beurre manié... Servir sur croûtons aillés.

— La recette est de toi ?

Il me foudroya du regard.

— Non, monsieur, elle n'est pas de moi mais elle serait digne de l'être !

— Et tu oses me demander si j'ai faim ?

Après un repas qu'Olga abandonna dès le dessert pour aller passer l'inspection de sa troupe de petites filles qui transformaient les préliminaires du coucher en combat rangé, nous savourions Robert et moi ces moments merveilleux où dans un corps repu par d'honnêtes nourritures magnifiquement préparées, l'esprit acquiert une acuité nouvelle, lorsque mon hôte m'interrogea sur mes intentions nocturnes, maintenant que la dame qui m'obligeait à des sorties ténébreuses n'était plus de ce monde.

— Fumer une pipe en dégustant un cognac et me coucher. Je crois avoir mérité le repos après cette journée où j'ai été tour à tour accusé de meurtre, à moitié assommé, fichu à la porte et abreuvé de toutes les injures muettes qui se puissent concevoir !

Je me levai assez péniblement pour aller prendre ma pipe dans la poche de mon pardessus. Sous mes doigts, je sentis crisser un papier que je sortis. On eût dit une feuille de correspondance rapidement pliée en quatre. Qui donc l'avait glissée dans mon manteau ? Souriant — car je subodorais une farce de Robert — je le dépliai et je lus :

Les choses ne peuvent continuer de la sorte, Guillaume. Je veux comprendre ce qui se passe. J'ai annoncé à Pierre que j'allais au cinéma dont il a horreur. Venez me retrouver vers 22 h 30 à l'angle de la rue Thézard et du boulevard François-Albert.

Madeleine.

Ce ne pouvait être un piège car je connaissais bien l'écriture de Madeleine pour l'avoir lu et relu des milliers de fois la lettre qu'elle m'avait laissée à Brouage pour m'expliquer son départ. Je revins vers Bussonnet toujours attablé.

— Changement de programme ! Je sors !

— Ah ?... Ça te prend d'un coup ?

En réponse je lui tendis le billet de Madeleine. Il le lut et commenta, soupçonneux :

— Qu'est-ce que ça cache ce truc-là ?

— C'est clair, non ? Madeleine tient à me rencontrer.

— Pour un duo d'amour au clair de lune ?

— Ne plaisante pas sur ce sujet, mon vieux !

Excédé, il haussa les épaules.

— Toi le jour où tu as été à Brouage, tu aurais été

mieux inspiré de te casser les deux jambes, au moins tu serais guéri maintenant ! Alors, je dois t'emmener là-bas ?

— Pas besoin. J'ai une demi-heure pour m'y rendre, c'est plus qu'il ne m'en faut.

Mon copain n'avait pas l'air autrement convaincu.

— Je n'aime pas ça...

— Mais puisqu'il s'agit de Madeleine !

— Tu en es sûr ?

— Et comment ! Tu penses que j'ai un peu l'habitude des écritures !

— Bon... comme tu voudras... Je t'attends ?

— Pas la peine.

— C'est toi qui le dis !

Cependant, parce que c'est devenu chez moi un réflexe naturel, je montai dans ma chambre chercher mon pistolet.

*
* *

Pareil à tous les amoureux du monde, je fus en avance au rendez-vous. Ayant devant moi le mur du parc Blossac, j'écoutai la brise nocturne jouer dans feuilles des arbres et ce murmure aussi vaste que léger éveillait en mes souvenirs la rumeur de la nuit à Brouage. Etait-il vraiment possible que Madeleine me rejoignît ici ? Et pour m'annoncer quoi ? Avait-elle décidé de mettre fin à une situation intenable ? Etait-elle résolue à quitter son mari qu'elle n'aimait pas, qu'elle n'avait jamais aimé pour recommencer sa vie avec moi ? Nous n'étions pas tellement vieux que nous n'eussions encore un avenir devant nous ! ou bien m'appelait-elle pour me prévenir de ce qui se passait au laboratoire ? Avait-elle découvert que son Montanay trahissait et sa patrie et sa famille ? Savait-elle que Moriss ou Larcat était le meurtrier des concierges ? Mais je ne m'attardais pas à ces pensées de mort et de crime... Pour moi, l'image de Madeleine ne pouvait être associée qu'à la tendresse d'heures inoubliables. Je souris en songeant à la tête de mes collègues parisiens s'il leur était donné de me voir, attendant comme un gosse de vingt ans, dans un endroit désert, une femme à laquelle je demeurais stupidement fidèle. Ils m'auraient cruellement moqué car les hommes raillent toujours ce qu'ils ne comprennent pas et qui, de ce fait, leur paraît scandaleux. J'en étais là de cette démarche introspective, lorsque j'eus l'impression que quelqu'un me jetait un caillou et avec une force telle qu'il ricocha à mes pieds pour s'en aller se perdre je ne sais où, tandis qu'au même moment, me parvenait le « plouf ! » que je connais si bien. On me tirait dessus du haut du parc de Blossac !... Le temps de réaliser la chose, de surmonter ma stupeur et ma colère, je fus touché à la tête avant de rouler sur le sol où j'eus la sagesse de demeurer immobile. Je me doutais qu'on m'épiait et que le tueur n'attendait qu'un mouvement de ma part pour m'adresser un petit supplément de plomb. Le sang coulant sur ma joue et dont je sentais la tiédeur, ne me laissait aucune illusion. J'étais blessé mais une douleur somme toute légère, la lucidité de mon esprit me donnait à croire que je n'avais été atteint que superficiellement. Les douceurs provinciales ! Je demeurai un long moment immobile, espérant que mon agresseur serait moins patient que moi. Quand je jugeai le moment venu, je ramenai très lentement mes jambes, pris appui avec mes mains sur le sol et d'un élan, je me dressai pour bondir vers le mur du parc de Blossac contre lequel je m'appuyai afin de reprendre mon souffle. Je prêtai l'oreille mais, en dépit de mes efforts, je ne parvins pas à saisir le moindre écho suspect. Croyant m'avoir tué, le meurtrier des Fenioux s'en était allé. A moi de jouer.

En vérité, j'étais tellement furieux que je ne parvenais pas à réfléchir tranquillement. Je ne pensais plus à ma blessure mais seulement à la manière dont Madeleine m'avait trompé. La garce !...

Adossé au mur du parc, je tentais de remettre de l'ordre dans mes idées. Le crâne commençait à me faire mal. Une migraine aux élancements douloureux. Je portais la main à mon cuir chevelu et constatai que j'avais été touché sur le côté, au-dessus de l'oreille, mais vraisemblablement, il ne s'agissait que d'une blessure superficielle. Je ne m'en inquiétais pas outre mesure tant ma colère se cristallisait sur Madeleine qui m'avait si joliment berné. Quel était son complice ? Car il devait fatalement y avoir un complice, Mme Montanay n'ayant sûrement pas l'habitude de tirer au pistolet muni d'un silencieux. Son mari ? Dans ce cas tout s'expliquait sauf la complicité obligée des Fenioux, mais peut-être les avait-on payés pour d'autres services que ceux que j'imaginais ? Le plus simple était d'aller voir et plein d'une farouche résolution, je m'élançai vers la rue du Cuvier assez proche. Mais, rue de la Tranchée, j'eus une faiblesse et je dus entrer dans un café où mon apparition créa une certaine sensation. Je racontai que je m'étais blessé en glissant d'un trottoir. J'ignore si l'on me crut, mais après que j'eus bu un verre d'alcool je téléphonai à Bussonnet, avant de me laisser enmener chez un pharmacien voisin et qui — par chance (il fallait bien que j'en eusse un peu de temps à autre) — assurait la garde de nuit.

— Allô ?... C'est toi Robert ?

— Et qui voudrais-tu que ce soit, farceur ?

— Robert, je me trouve rue de la Tranchée dans un bistrot qui s'appelle « Le Poitou ». Viens m'y rejoindre. Si je ne suis pas là, on t'indiquera où me rencontrer.

— Qu'est-ce qui t'arrive encore ?

— On m'a tiré dessus...

— Et on t'a encore manqué ? Je n'aurais jamais cru qu'on soit si maladroit à Poitiers ! J'ai honte pour mes concitoyens !

— Rassure-toi cette fois, on ne m'a pas raté.

— Qu'est-ce que tu racontes ?

— Que je suis mort, mon vieux.

Abandonnant mon copain Robert à ses réflexions, je partis chez un vieux pharmacien qui m'assura que je jouissais d'une veine extraordinaire car il lui semblait que seule, la peau de mon crâne avait souffert, ce qui à la suite d'une chute ne manquait pas de l'étonner et de l'étonner à tel point qu'il me serait reconnaissant de lui laisser mon nom et mon adresse, comme la loi l'y obligeait, quand il soignait des blessures suspectes. Je ne soulevai aucune difficulté et lorsqu'il m'eut bandé le crâne, ce digne homme me conseilla vivement de me rendre à l'hôpital. Bussonnet se montra au moment où je réglais les soins reçus. En me voyant il s'écria :

— C'est ma foi vrai qu'ils t'ont eu, cette fois !

Mais pour lui éviter de trop parler devant le pharmacien intéressé, je le pris par le bras et l'entraînai dehors.

— Tu as ta voiture ?

— Tu ne penses quand même pas que je suis arrivé en courant ? J'ai ma voiture et mon fusil !

— Ton fusil ?

— Moi aussi, il faut que je fasse un carton ! Je commence à en avoir marre de laisser n'importe qui s'amuser à tenter de trucider mes amis ! D'abord, en tant qu'hôtelier je ne saurais tolérer qu'on s'en prenne à ma clientèle !

Cachant son émotion sous des plaisanteries qui ne nous trompaient ni l'un ni l'autre, Bussonnet, superbe, ressemblait à Achille apprenant la fin de Patrocle et s'apprêtant à faire payer très cher cette mort aux Troyens. Une fois qu'il fut installé dans son auto, il s'enquit :

— Où va-t-on ?

— A côté, rue du Cuvier, chez Montanay.

— Drôle d'idée...

— Il faut que je sache si Madeleine est rentrée ou non.

Nous démarrâmes tandis que Robert remarquait :

— Tu m'as l'air d'avoir l'œil pour choisir tes bien-aimées !

Je dus sonner longtemps avant que quelqu'un donnât signe de vie dans la demeure du professeur. Finalement, à travers la porte, je perçus l'écho d'un pas et bientôt la voix de Montanay demandait :

— C'est toi Madeleine ? Tu n'as donc pas tes clefs ?

Ainsi elle n'était pas là et le professeur devait dormir quand j'avais sonné. Dans ces conditions, je n'avais plus rien à lui dire sinon que sa femme le trompait mais cela, ce n'était vraiment pas à moi de le lui apprendre. Je tournai les talons avant que Montanay ne se soit décidé à ouvrir. Il en serait quitte pour méditer sur l'imbécillité de ses contemporains, se distrayant avec des farces de ce goût.

— Tu sais où habite l'Anglais, Herbert Moriss, Robert ?

— Rue de la Cathédrale, chez Mme Belleroche.

— Alors en route !

— A tes ordres ! Ta tête ?

— Elle tient.

— C'est l'essentiel.

La veuve Belleroche qui logeait au rez-de-chaussée, ouvrit un volet méfiant quand Bussonnet l'eut appelée. Vêtue d'une robe de chambre en pilou, elle croassa un : « Qu'est-ce que c'est ? » nettement agressif. Mais Robert a le don d'apaiser les humeurs acariâtres. Il salua fort courtoisement la vieille dame, ayant préféré se charger de l'ambassade, plutôt que de me laisser m'exhiber avec mon pansement que le sang maculait.

— Excusez-nous de vous déranger, madame, mais nous avons une communication urgente pour M. Moriss.

Un peu radoucie, le cerbère grogna :

— C'est pas une heure...

— Les mauvaises nouvelles n'ont pas d'heure, madame.

132

Cela fut prononcé sur un tel ton que la veuve Belleroche, impressionnée, dut se figurer que toute la famille Moriss avait été engloutie par un cataclysme.

— C'est au troisième... Il y a sa carte sur la porte.

Je convainquis Bussonnet de me laisser monter seul. Je ne tenais pas à ce qu'il fût mêlé officiellement à une aventure dont j'ignorais de quelle façon elle tournerait.

Moriss m'ouvrit presque tout de suite. Il était en pyjama. En dépit de son flegme, la vue de ma tête l'empêcha de prendre l'initiative des opérations. D'une main appliquée sur sa poitrine, je le repoussai assez durement pour pouvoir pénétrer dans sa chambre. Un gros chat me glissa entre les jambes pour se réfugier sous le lit. Sans doute s'agissait-il de Iago. L'Anglais reprit assez vite son sang-froid.

— Qu'est-ce que cela signifie monsieur Norrey ?

Je lui montrai ma tête.

— Un accident ?

— On m'a tiré dessus.

— Qui ?

— C'est ce que je suis venu vous demander.

— A moi ?

— A vous, oui, mon joli gentleman !

— Et pour quelles raisons ?

— Parce que vous aimez trop les chats !

A la manière dont il me contemplait je compris bien qu'il croyait ma blessure plus grave qu'elle ne l'était. Il assura sans grande conviction :

— Je ne vois pas le rapport...

— Vous aimez tellement les chats que, lorsque vous conduisez une voiture, vous êtes prêt à exécuter n'importe quelle embardée pour éviter d'en écraser un !

— Ça m'étonnerait !

— Pas moi ! car je vous ai vu au volant d'une voiture et agissant de cette façon !

Il se mit à rire. Vexé, hargneux, je grognai.

— Ne pourrions-nous rire ensemble ?

— Figurez-vous, monsieur Norrey, que je n'ai jamais piloté une auto de ma vie et que je n'ai pas de permis de conduire. Si je me mettais au volant, j'éviterais peut-être les chats, mais il y a tellement d'autres choses que je n'éviterais pas... et maintenant si vous me confiiez le motif de cette visite inattendue ?

Me serais-je trompé sur la culpabilité possible de Moriss ? Je pris place sur une chaise parce que, tout de même, je commençais à être fatigué.

— Monsieur Moriss, pourquoi me détestez-vous ?

— Parce que j'aime bien Stepanic et qu'en marchant sur ses brisées, vous étiez sûr d'avance d'une victoire facile qui, pour vous Parisien, n'avait aucun sens mais qui, pour lui, était dramatique. Milorad souhaitait emmener Judith avec lui dans son pays.

— Aurait-il tué le mari pour aider à la réalisation de son projet ?

— Sûrement pas. Stepanic est un balourd, mais un très brave garçon... Vous n'avez pas agi en gentleman, monsieur Norrey.

— Estimez-vous que c'est un gentleman qui m'a tiré dessus ?

— Si vous vous attaquez à d'autres que Judith Fenioux, il n'est pas étonnant qu'on essaie de se débarrasser de vous !

Herbert me fixait de ses yeux pâles et, malgré mes désirs, je n'y distinguais pas la moindre trace d'humour.

— Vous croyez vraiment que je suis venu à Poitiers uniquement pour jouer les don Juan auprès des concierges ?

— Je l'ignore et au vrai, cela ne m'intéresse guère.

— Où habite votre ami Stepanic ?

— Vous avez aussi des questions de ce genre à lui poser ?

— À peu près.

— Il habite à l'hôtel Bartisan, dans le faubourg Saint-Cyprien.

— Merci.

— Méfiez-vous, monsieur Norrey. Stepanic vous aime encore moins que moi.

— Rassurez-vous, je commence à prendre conscience de l'affection qu'on me porte dans ce pays...

Qu'il ne sache pas conduire une voiture — je ne pense pas qu'il m'ait menti, car la chose est trop facile à vérifier — élimine Moriss pour l'attentat dont je fus à moitié victime dans la rue des Quatre-Cyprès, et comme je persiste à penser — malgré les suppositions romanesques de l'inspecteur Reynès — que toutes ces attaques, que tous ces crimes sont liés entre eux, il me faut chercher mon gibier ailleurs. Je ne crois pas tellement à la culpabilité de Milorad Stepanic dont tout le comportement est le contraire de celui d'un espion. Montanay me semble hors de cause. Reste donc Madeleine... J'en ai gros sur le cœur et plus encore, parce qu'elle a forcément un allié. Jacques Larcat ? C'est possible, mais il est fiancé à Colette, et les deux sœurs me paraissent vivre dans une intimité trop complète pour que la cadette ne se soit pas aperçue que son aînée lui volait l'homme qu'elle comptait épouser.

À la réflexion, si l'espion a su s'attacher Madeleine au point de l'obliger à trahir et son mari et son pays, il est plus fort que je ne me le figurais. Madeleine pouvait se rendre au laboratoire la nuit pendant que la maisonnée dormait et payer les Fenioux pour qu'on lui remette les clefs. En possession de ces dernières, il lui était possible d'y faire pénétrer n'importe qui. Le chagrin ressenti devant la brusque révélation d'une autre Madeleine cédait la place à la fureur humiliée de l'homme bafoué. Elle et moi aurions une explication et je me fichais pas mal du scandale qu'elle pourrait déclencher.

Quand je remontai dans sa voiture, Bussonnet demanda :

— Pas de bagarre ?...

— Pas de bagarre.

— Point de direction ?

— Faubourg Saint-Cyprien, l'hôtel du Bartisan. Tu connais ça ?

— Une vague idée... En somme, nous visitons Poitiers *by night* ?

L'hôtel Bartisan relevait du genre miteux. Stepanic devait s'y trouver à l'aise. Le type qui nous accueillit à la réception avait l'air plutôt mauvais, et mon pansement ensanglanté ne lui inspirait visiblement pas confiance. Il me jeta un regard destiné à m'impressionner :

— Qu'est-ce que vous voulez ?

— Stepanic.

— C'est un de vos amis ?

— Si on vous le demande, vous m'enverrez les curieux !

— Non, mais dites donc...

Ce fut à mon tour de prendre l'air méchant :

— Tu commences à me casser les pieds, mon gros, et tu as bougrement tort !

Le bonhomme pâlit, avala sa salive et balbutia :

— Au deuxième..., le 18.

J'étais dans l'escalier avant qu'il ait récupéré. Au 18 il y avait de la lumière sous la porte. Je cognai :

— Police !

Stepanic ouvrit sans défiance. Je le bousculai pour entrer. Il se ramassa sur lui-même pour me sauter dessus. J'arrêtai son élan en lui collant mon revolver sous le nez.

— Du calme, Milorad ! Tu es sorti, ce soir ?

Il se détendit et souffla bruyamment.

— Non, pourquoi ?

— Où est ton appareil de photo ?

— Un appareil de photo ?... Je n'en ai pas. Qu'est-ce que j'en ferais ?

— Bon. Assieds-toi.

Il se laissa tomber sur le lit.

— Ecoutez-moi, Stepanic... Vous m'avez durement frappé, vous vous en souvenez ?

Il hocha la tête joyeusement pour bien me persuader qu'il ne le regrettait pas.

— Je pourrais vous abîmer la figure avec la crosse de mon pistolet... mais vous m'inspirez de la pitié !

— Alors, qu'est-ce que vous cherchez ?

— L'assassin de Judith Fenioux.

— Ce n'est pas vous ?

— Non, ce n'est pas moi et je veux savoir qui il est et pour quelles raisons il a essayé de me coller ce crime sur le dos !

Il noua ses gros doigts.

— Si je le tenais, je l'étranglerais tout doucement...

— Moriss ?

Il ricana :

— Une mauviette... et puis il a tellement peur des femmes qu'il ne s'est jamais approché de Judith à moins de dix mètres au moins !

— Larcat ?

— Il ne pense qu'à Colette.

— Montanay ?

— Vous êtes fou ?

— Alors, qui ?

— Si je le savais !...

Encore une course pour rien. Si Milorad et Herbert étaient hors de cause, il me restait Madeleine. De gré ou de force, il faudrait qu'elle s'explique !

Quand nous sommes revenus à l'hôtel de Paris, Olga enlevait le bec-de-cane. A la vue de la voiture de son mari, elle suspendit son geste. Pas tellement contente, elle s'avança sur le trottoir pour nous exprimer sa façon de penser quant à notre fugue.

— Où étiez-vous passés, tous les deux ? Vous êtes encore allés boire quelque part, je parie ? Vous vous êtes bien amusés ?

C'est le moment que je choisis pour me montrer. Devant ma tête en mauvais état, elle ouvrit la bouche sans pouvoir articuler un son. Robert lui passa un bras autour de la taille :

— Une drôle de manière qu'il a de s'amuser, Guillaume, tu ne trouves pas ?

CHAPITRE V

En entrant dans ma chambre, le lendemain matin, l'inpecteur Reynès m'arracha à des cauchemars pénibles où Madeleine, tenue dans mes bras, se transformait en mante religieuse, tandis que son mari, se tenant les côtes, regardait sa femme me planter ses dents dans le crâne.

— Je suis navré de vous déranger, monsieur Norrey, mais le rapport du pharmacien de la rue de la Tranchée, m'a inquiété. Sitôt que j'en eus connaissance, en arrivant au bureau, j'ai voulu tenir de votre bouche le récit de l'aventure.

Je la lui contai, y compris mes incursions chez Moriss et Stepanic, sans compter le professeur. Il hocha la tête :

— Je crois préférable d'ignorer cette dernière partie de votre histoire, car ce n'est pas très régulier, n'est-ce pas ?

— Dans mon métier on se soucie peu de savoir ce qui est légal ou pas.

— Malheureusement, dans le mien, seul ce qui est légal nous est autorisé. Monsieur Norrey, puis-je vous demander ce que vous faisiez là où l'on vous a tiré dessus ?

— Un rendez-vous.

— Avec qui ?

— Excusez-moi de ne pas vous répondre.

— Vous pouvez au moins m'apprendre si cette personne s'est présentée ou non ?

— Non.

— Dans ces conditions, est-il trop facile de déduire que ce rendez-vous se révélait un piège ?

— C'en était un, inspecteur.

— Et vous connaissez donc celui ou celle qui vous l'a tendu ?

— Oui.

— Et vous ne tenez pas à ce que j'intervienne ?

— Non.

— Comme il vous plaira..., mais n'oubliez quand même pas, monsieur Norrey, que je ne pourrai fermer les yeux que jusqu'à un certain point.

— Soyez certain, inspecteur, que je ne vous mettrai pas dans une position difficile.

— Merci... eh bien, il ne me reste qu'à vous souhaiter de vous rétablir très vite et d'aboutir non moins rapidement dans vos recherches. Naturellement, vous ne portez pas plainte ?

— Je n'ai pas envie de me ridiculiser. Cependant, il y a un service que vous pourriez me rendre.

— S'il entre dans mes attributions ?

— Enquêter sur les ressources financières de tous ceux qui composent ce que j'appelle le clan Montanay.

— Entendu.

A peine Reynès était-il sorti que Bussonnet se présentait en compagnie d'un médecin, grand chasseur devant l'Eternel et qui par-là même avait assez l'habitude des blessures par armes à feu, certains de ses compagnons de plaisir ayant la fâcheuse manie de ne pas tirer que sur le gibier. Il examina ma plaie, la désinfecta soigneusement, me fit quelques points de suture qui m'arrachèrent des gémissements auxquels il répondit par un sourire.

— Monsieur, quand on refuse les soins hospitaliers qu'une municipalité bienveillante met à votre disposition, il faut s'attendre à souffrir un peu.

Lorsqu'il eut terminé, il s'enquit toujours fort aimable :

— Notre ami Bussonnet m'a appris que vous vous êtes blessé en tombant sur le bord du trottoir ?

— Oui, dans l'obscurité, le pied m'a manqué.

— Ce devait être un trottoir roulant et roulant très vite, car la plaie qu'il vous a occasionnée ressemble comme deux gouttes d'eau à celle que vous aurait infligé une balle vous frôlant, et je dis bien une balle, pas un plomb.

Il se moquait de Robert et de moi et ne tenait sans doute pas à ce que nous le prenions pour un sot.

— Voilà, vous n'avez plus qu'à rester tranquille le plus longtemps possible et laisser les choses aller leur train. Malheureusement, ce genre d'accident, à moins d'un hasard qu'on ne rencontre pas souvent, survient aux gens qui n'ont point pour règle première de rester tranquille. Je vous salue bien, monsieur.

Il était à croire que c'était mon jour de réception, car à peine le docteur avait-il refermé ma porte qu'Olga se montrait.

— Ce n'est pas possible, monsieur Guillaume, que vous vous conduisiez de cette façon ?

Je m'attendais à bien des choses, mais pas à ce genre de reproches. J'en demeurai muet, ce dont la femme de mon ami profita pour continuer :

— A votre âge ! vous battre comme des gamins, mais avec des moyens plus dangereux ! une balle ! vous vous rendez compte ? Et si vous étiez mort, qu'est-ce que vous diriez ?

— Rien... vraisemblablement.

— Enfin, vous êtes ingénieur ?

— Sans aucun doute.

— Alors, pourquoi ne vous contentez-vous pas d'exercer votre métier comme tout le monde ?

— C'est-à-dire...

— La vérité, c'est que si vous vous étiez marié au lieu de courir après des fantômes, vous ne vous livreriez pas à des sottises qui ne sont pas dignes de vous ! Sans compter que je ne tiens pas à ce que vous entraîniez Robert dans vos histoires. Il a trois filles à élever, lui ! Monsieur Guillaume, si vous avez de l'amitié pour moi, promettez-moi d'être raisonnable.

C'était bien la première fois que j'entendais qualifier de gamineries les activités des services spéciaux. Les femmes ont une manière bien à elles de nous enlever nos illusions et de rabattre nos petites vanités. Pour rassurer Olga, je lui promis de me conduire le plus bourgeoisement du monde à l'avenir et je lui jurai que son Robert n'avait rien à redouter de mon fâcheux exemple.

Lorsque je fus enfin à peu près sûr de demeurer seul quelques instants, je me levai pour procéder à ma toilette. Je n'avais pas complètement menti à Olga. J'en avais assez du métier et j'étais bien résolu à remettre ma démission à M. Dumolard. Mais auparavant, il me fallait liquider cette affaire qui, pour moi, serait la dernière. Mme Montanay et moi devions avoir un entretien qui ne manquerait pas de sel. Je n'étais pas décidé à accepter avec le sourire qu'on me ridiculise d'abord, qu'on essaie de me supprimer ensuite. Sans compter la trahison patente des documents volés. Pour l'heure, mes intérêts et ceux du pays coïncidaient.

Ma blessure s'affirmait une excuse suffisante pour ne point me rendre au laboratoire. D'ailleurs, je n'avais guère l'intention d'y retourner. J'attendis 10 heures et jugeant qu'à cette heure-ci Madeleine devait être seule chez elle, je l'appelai. Ce fut elle qui me répondit. Quand elle reconnut ma voix, elle se fit plus que froide.

— Je vous ai déjà prié de ne plus m'importuner, monsieur Norrey.

— J'aimerais, madame, que vous agissiez de même !

A son silence, je devinai que ma réplique la privait momentanément de réflexe. Enfin, je l'entendis balbutier :

— Qu'est-ce... que vous voulez dire ?

— Simplement que me donner des rendez-vous où l'on essaie de me supprimer n'était pas ce que j'attendais de vous.

— Vous êtes fou ?

— Non, blessé seulement mais, à la tête, il est vrai.

Une pointe d'angoisse perça dans sa voix.

— C'est une plaisanterie ?

— Dans ce cas reconnaissez qu'elle serait bien médiocre ?

— Mais enfin, Guillaume...

— Il n'y a pas d'enfin, madame ! Si vous n'êtes pas à l'hôtel de Paris dans une demi-heure au plus tard, je rends visite à votre mari et le mets au courant de tout !

— C'est un chantage ignoble !

— Je ne pense pas qu'il vous appartienne de juger mes actes.

— Mais que vous arrive-t-il ?

— Je crois vous l'avoir déjà appris ?

— Je ne céderai pas ! Je ne tiens plus à vous revoir !

— Sauf la nuit dans les quartiers un peu déserts !

— Qu'est-ce que vous racontez ?

— Terminons là, madame, si vous le voulez bien ? Dans une demi-heure à l'hôtel de Paris ou dans une heure chez vous en présence du professeur Montanay !

Et je raccrochai.

J'avertis Bussonnet et sa femme que j'attendais

143

Mme Montanay. Si Olga ne parut pas enchantée de la nouvelle, Robert, par contre, me cligna de l'œil pour me témoigner son approbation.

Au bout de vingt-cinq minutes, Madeleine frappait à la porte de ma chambre. Je ne puis dire que nous nous soyons regardés en amis. J'entamai, d'ailleurs moi-même, les hostilités.

— Je suis heureux de constater que vous vous êtes montrée raisonnable. Asseyez-vous madame...

Elle s'exécuta tout en remarquant :

— Je n'ai pas été raisonnable, monsieur, mais lâche... On est toujours lâche quand on cède au chantage... Ma seule excuse est de souhaiter tenir mon mari à l'écart de tout cela !

— Comme vous le tenez sans doute à l'écart de bien d'autres aventures !

Elle se redressa le feu aux joues :

— Je ne vous permets pas !...

Puis elle hésita un instant et se laissa retomber sur son siège, en murmurant :

— Mais je n'ai sûrement pas le choix... Allons vite, votre prix ?

— Le nom de l'assassin des Fenioux.

Elle me contempla ébahie.

— Le nom de... mais comment voulez-vous que je le sache ?

Je me tenais le dos à la fenêtre et si elle discernait que je portais quelque chose sur la tête, il lui était impossible de distinguer qu'il s'agissait d'un bandage, surtout qu'à l'instar de M. de Bergerac, au dernier acte de la pièce dont il est le héros, j'avais posé sur mes cheveux une sorte de béret assez vaste.

— Madame, selon une habitude que vous avez eue l'occasion de blâmer publiquement, je me propose de vous raconter une histoire.

— Et c'est pour cela qu'au mépris de ma réputation, vous avez exigé que je me rende de nouveau dans un hôtel où tout le monde peut me voir entrer et dont tout un chacun pourra me voir sortir ?

— Depuis que je suis arrivé à Poitiers, madame, on a essayé de m'écraser, de me coller un crime sur le dos.

— Pourquoi restez-vous ?

— Parce que j'ai une mission à remplir.

— Une mission ?

— Comme cela finira par devenir le secret de polichinelle, autant que je vous en révèle la nature, espérant que vous accepterez de me donner votre parole de n'en point parler encore ?

— Soit... vous m'intriguez !

— Ne vous en déplaise, madame, je n'ai pas débarqué à Poitiers pour vous retrouver, mais bien pour découvrir celui qui vole les travaux de votre mari.

— Qui vole ?...

— Depuis des mois toutes les recherches effectuées par le professeur sont transmises à des acheteurs éventuels.

— Ce n'est pas possible ?

— Ce qui m'est arrivé doit vous démontrer que je n'invente rien.

Toute l'attitude de Madeleine affirmait sa totale incompréhension. Mais, était-elle sincère ou me jouait-elle la comédie ?

— Hier soir, on m'a donné rendez-vous, dans la nuit, à l'angle de la rue Thézard et du boulevard François-Albert où j'ai échappé à la mort par miracle.

Ce disant, je m'approchai d'elle, ôtai mon béret et lui montrai les bandages m'entourant le crâne. Elle poussa un léger cri.

— Oh ! Guillaume !...

— La balle n'a fait que m'effleurer.

— Mais puisque vous savez qu'on désire vous éliminer, pourquoi commettez-vous l'imprudence de vous rendre à ces convocations nocturnes ?

145

— Parce que ce rendez-vous m'a été donné par quelqu'un en qui j'ai toute confiance, quelqu'un que je ne puis soupçonner de me vouloir du mal.

— Qui ?

— Vous.

— Vous êtes fou ?

Je lui tendis son billet. Elle le prit, le lut et relevant vers moi ses yeux embués de larmes.

— Ainsi mon pauvre Guillaume, vous avez cru qu'il s'agissait de moi ?

— N'est-ce pas votre écriture ?

— Comment la connaîtriez-vous ?

De mon portefeuille je sortis la lettre qu'elle m'avait écrite à Brouage. Ce coup-là, elle fondit en larmes...

— Oh ! Guillaume... mon pauvre Guillaume...

Elle était dans mes bras et se pelotonnait contre moi. Je lui rendis ses caresses et tout le reste n'exista plus. Lorsque je revins sur terre, je l'écartai un peu de moi pour la regarder bien en face.

— Ce n'est pas vous qui avez écrit ce billet ?

— Votre question même, Guillaume, est une insulte à l'amour que je vous porte.

— Alors, qui, dans votre entourage, est capable d'imiter votre écriture de façon aussi remarquable ?

Je me rendis parfaitement compte qu'elle avait un nom sur les lèvres, mais qu'elle hésitait à le prononcer. Je la pressai de me révéler la vérité. Baissant la tête, elle confessa :

— Lorsqu'il est de bonne humeur, Pierre se vante de ce qu'il aurait pu être — si ses goûts ne l'avaient malheureusement porté ailleurs — un remarquable faussaire.

Montanay... Ainsi M. Dumolard avait peut-être deviné dès le début ? Mais, pourquoi ? pour des motifs idéologiques comme ces savants anglais partis en U.R.S.S. ? et pour quelles raisons avoir tué Antoine et Judith Fenioux ? Le concierge lui servait-il d'intermédiaire ? Judith n'était-elle morte que parce qu'elle se trouvait au courant de ce dangereux secret ? Une chose me chagrinait : si Montanay m'avait donné rendez-vous au nom de sa femme, c'est qu'il était au courant de notre aventure à Brouage. Entendait-il dès lors tout à la fois se venger et se débarrasser d'un policier qui risquait de finir par le serrer de trop près ? Si tout cela devait se confirmer, le professeur Montanay s'inscrivait en bonne place parmi les plus remarquables crapules qu'il m'ait encore été donné d'approcher.

— Qu'est-ce que vous décidez, Guillaume ?

— Je vais parler avec votre mari et pas plus tard que tout de suite.

— Vous n'avez pas de certitude !

— C'est justement pour en acquérir une que je me rends immédiatement au laboratoire !

— Guillaume, je suis certaine qu'il y a une autre explication... Je ne puis admettre non seulement la culpabilité de Pierre, mais encore qu'il se soit servi de moi... Il est impossible qu'il me mente depuis des années !

Je lui promis de procéder avec la plus extrême prudence, mais je pensais exactement le contraire.

— Faites-moi confiance, Madeleine, je ne vous réclame rien d'autre...

— Vous savez bien, contrairement à tout ce que j'ai pu affirmer, que vous l'avez depuis que nous nous sommes connus...

Ce nous fut une nouvelle occasion de retomber dans les bras l'un de l'autre. Avant de la laisser partir, je lui demandai :

— A quel cinéma étiez-vous hier soir ?

— Au Paris.

— Qu'est-ce qu'on y jouait ?

— « L'Année dernière à Marienbad... » C'est pour cela que j'ai désiré m'y rendre. Ce film m'a fait repenser à Brouage.

— Larcat et Colette vous accompagnaient ?

— Oui.

Par la fenêtre donnant sur le boulevard du Grand-Cerf, je regardai Madeleine s'éloigner. Pourquoi n'étais-je pas plus heureux ? peut-être parce que je ne pouvais pas me défendre de l'impression, qu'en répondant au sujet du cinéma, elle avait marqué une légère hésitation ? Bien légère en vérité, mais suffisante pour me renvoyer aux doutes dont je me figurais débarrassé.

Je constatai que notre altercation nocturne avait amélioré nos rapports entre Moriss et moi car, lorsque je me présentai au laboratoire il me tendit la main et s'enquit de ma santé. Larcat me posa des questions sur ce qui m'était arrivé. Je répondis brièvement en parlant d'un stupide accident et je gagnai le réduit où Montanay n'aimait pas qu'on vînt le déranger. Il dressa vers moi un visage peu gracieux mais, mes pansements produisirent leur effet habituel.

— Eh bien ! Norrey ? qu'est-ce que...

— On m'a tiré dessus.

— C'est incroyable ! mais enfin, que se passe-t-il dans cette ville ?

— Rien que de très naturel, professeur : un individu devine que je me rapproche peu à peu de lui et il a peur. Ainsi que tous ceux qui s'affolent, il a recours aux moyens extrêmes.

— L'assassin des Fenioux ?

— En effet.

— Norrey, pourquoi vous entêtez-vous à jouer ce rôle stupide de policier ?

— Parce que c'est mon métier.

— Qu'est-ce que vous me chantez là ?

— Je suis ingénieur, comme vous avez pu vous en apercevoir, mais je suis aussi un agent des services spéciaux et c'est surtout à ce titre que je me trouve ici.

— Vous voulez dire : un agent du contre-espionnage ?

— Parfaitement.

— Et c'est en cette qualité que vous êtes venu à Poitiers ?

— Non seulement à Poitiers, mais dans votre laboratoire, professeur.

Il se leva.

— Vous vous moquez de moi ?

— Pas le moins du monde.

— Alors, expliquez-vous ! Qu'est-ce que nous avons à voir ici avec le contre-espionnage ?

— C'est très simple, professeur : depuis pas mal de temps, quelqu'un photocopie vos travaux et cherche à les vendre.

— Ce n'est pas vrai !

— Antoine et Judith Fenioux sont morts parce qu'ils étaient les complices de l'espion qui vous vole.

— Je ne vous crois pas !

— La nuit qui a précédé la mort de Judith Fenioux, j'ai tendu un piège dans ce bureau même et je vous assure que quelqu'un, dans la nuit, a photographié les dernières pages que vous aviez rédigées.

— Mais enfin...

— Antoine Fenioux remettait les clefs du laboratoire et recevait pas mal d'argent en échange de ce service. Malheureusement, il a eu la langue trop longue. Et sa femme s'est montrée trop exigeante.

Montanay se laissa retomber lourdement sur sa chaise. Ce n'était plus qu'un vieil homme. Il chuchota plus qu'il ne dit :

— Qui ?

— Je ne sais pas. Peut-être vous ?

Il se contenta d'hausser les épaules. J'insistai :

— Vous êtes un partisan convaincu du Mouvement de la Paix.

— Et alors ?

— On a déjà vu des savants trahir leur pays en s'imaginant travailler pour le bonheur de l'humanité.

Il ne se récria pas. Froidement, il s'enquit :

149

— Monsieur Norrey, qu'est-ce qui vous permet de m'insulter ?

— Le fait que vous imitiez à la perfection toutes les écritures.

— Ah ! vous êtes au courant ? mais je ne vois pas...

— Quelqu'un imitant l'écriture de votre femme, m'a donné rendez-vous hier soir à l'angle de la rue Thézard et du boulevard François-Albert pour tenter de me tuer.

Il se leva lentement, très pâle.

— Monsieur Norrey, qu'est-ce qui vous autorisait à croire que Madeleine pouvait vous donner rendez-vous ?

J'avais prévu cette question.

— J'ai pensé qu'elle avait deviné ma mission et qu'elle savait quelque chose.

— Qu'elle m'aurait caché... à moins qu'elle ne m'ait soupçonné ?

— Pourquoi pas ?

Il approcha du mien son visage haineux.

— Vous tenez à me faire regretter qu'on vous ait manqué hier soir !

— Que vous m'ayez manqué ?

— Sortez !

— Non.

— Je suis maître chez moi !

— Pas si vous êtes un traître.

— J'ai toujours nourri un profond mépris pour les gens de votre sorte et vous ne me faites pas changer d'opinion !

— J'en suis navré. Mais confidence pour confidence, je ne prise pas davantage les salauds qui s'abritent derrière leur femme pour accomplir leurs vilaines besognes.

Il leva le bras, je le lui empoignai.

— Voyons, professeur, sans pistolet vous n'êtes pas de force... Auriez-vous oublié votre poignard ?

La surprise l'obligea à marquer un temps d'arrêt.

— Quel poignard ?

150

— Celui que vous avez planté dans le dos d'Antoine et de Judith Fenioux ?

Je crus, tout de bon, qu'oubliant son âge et sa dignité, il allait se jeter sur moi. Il est vrai que j'agissais de mon mieux pour l'exaspérer.

Il desserra le col de sa chemise qui l'étouffait. J'en profitai pour insister, ayant le sentiment de venger Madeleine et de me venger du même coup de celui dont la seule présence s'affirmait un obstacle à notre bonheur.

— Il n'est pas dit que si je fouillais cette pièce, je n'y trouverais pas l'arme du crime.

— Eh bien ! fouillez !

Avec la seule idée d'embêter l'homme que je tenais, dès ce moment-là, pour un maître fourbe, j'entrepris des recherches tandis qu'il m'annonçait :

— Je pense, monsieur Norrey, que vous prenez clairement conscience qu'après cette scène scandaleuse, votre présence dans cette maison n'est plus tolérable ? Si vous persistiez, pourvu de je ne sais quels pouvoirs, à vous imposer à mes compagnons et à moi-même, je fermerais le laboratoire et suspendrais mes travaux !

Tout en dérangeant les dossiers, en soulevant les livres, en déplaçant des masses de papiers, je répliquai du tac au tac :

— Ou vous êtes innocent et dans ce cas, professeur, je suis certain que vous m'aiderez à désigner qui vous vole le fruit de votre labeur, celui qui a tué vos concierges, celui qui estime que je n'ai plus ma place sur la terre et enfin celui qui se permet d'imi...

Enervé, il enchaîna :

— Finissez donc votre phrase : celui qui se permet, qui ose imiter l'écriture de ma femme pour donner rendez-vous à une espèce de don Juan policier !

A mon tour j'étais tellement sidéré que je ne parvenais pas à croire à la réalité de ce que je voyais : derrière des registres poussiéreux — et qui n'étaient au vrai que des annuaires peu souvent manipulés —

il y avait un poignard à lame étroite. Avant même de le toucher, je savais que c'était celui qui avait envoyé dans l'autre monde Antoine Fenioux et son épouse. Le professeur s'approcha.

— Qu'est-ce qu'il y a ?

Du doigt je lui montrai ma trouvaille.

— Par exemple !

Je lui attrapai le bras au moment où il s'apprêtait à saisir l'arme.

— Vous permettez ?

Bien que sans illusion quant à des empreintes digitales hypothétiques sur le manche, je saisis ce dernier avec mon mouchoir. Sur la lame, qui ressemblait à une alène de cordonnier, je remarquai immédiatement qu'un essuyage superficiel avait laissé des traces et il ne fallait pas avoir assisté à la découverte de plusieurs meurtres, pour deviner que ces traces se révéleraient être du sang séché.

— Vous reconnaissez cette arme, professeur ?

— Un poignard que j'ai rapporté de Tunisie... Je l'avais donné à ma femme.

— Et vous le lui avez repris ?

— Pourquoi ?

— Pour assassiner les Fenioux.

— Décidément, vous y tenez !

— Préférez-vous que je demande l'inculpation de Mme Montanay ?

Je le guettais. Car pour moi, ce poignard avait été mis là pour que je le découvre. Pour quelles raisons, Madeleine coupable, aurait-elle déposé cette arme dans le bureau de son mari, alors qu'il s'avérait si simple de la faire disparaître ? A moins que ce ne soit elle qui entendît laisser peser les soupçons sur son mari ? Je pataugeais. Quant au professeur, revenant à sa table, se prenant la tête à pleines mains, il répétait :

— C'est incompréhensible !... incompréhensible !

Maintenant, je n'avais plus beaucoup de précautions à prendre, et j'appelai l'inspecteur Reynès, le priant de me rejoindre au laboratoire. En attendant le policier, je revins à Montanay.

— Professeur, votre femme ne s'est jamais aperçue de la disparition de ce poignard ?

— Je l'ignore.

— Et si vous le lui demandiez ?

Il me regarda et je ne sais trop comment cela se fit ; mais dès ce moment-là, je fus persuadé qu'il était, lui aussi, une victime.

— Je... je n'ose pas, monsieur Norrey.

Je ne répondis pas. Le désarroi de cet homme devant les perspectives s'ouvrant à lui m'affolait car si Montanay acceptait l'hypothèse d'une Madeleine coupable, comment, moi, refuserais-je d'envisager cette éventualité ? Evidemment, tout en moi protestait contre cette supposition. Je sentais encore sur mon visage la fraîcheur des lèvres de Madeleine...

Montanay, enfoncé dans ses rêveries douloureuses, ne prêta pas attention à la présence de Reynès. Je remis au policier le poignard trouvé :

— Qu'est-ce que c'est ?

— L'arme du crime... Celle dont on a usé pour tuer les Fenioux.

— Où l'avez-vous trouvée ?

— Ici.

— Je suis obligé de rédiger un rapport.

— Donnez-moi encore quarante-huit heures, Reynès, je touche au but. Pour le moment, essayez de voir s'il y a des empreintes sur le manche. Par acquit de conscience, car il a sûrement été essuyé.

— Je m'en occupe moi-même. Pas besoin d'alerter les spécialistes s'il n'y a rien.

Ce Reynès me plaisait de plus en plus. La désinvolture avec laquelle il semblait capable de traiter les règlements le prédisposait à mes yeux, aux services spéciaux. Après le départ du policier, le professeur sortit de l'espèce de stupeur où semblait l'avoir plongé la découverte du poignard. Il leva vers moi un visage ravagé.

— Cela dépend de ce que l'on entend par là.

— Norrey..., vous n'êtes pas un mauvais homme ?

— Je veux dire : vous ne tenez pas à causer sciemment de la souffrance ?

— Sûrement pas !

— Alors... laissez Madeleine en dehors de tout cela.

Je secouai la tête :

— Impossible... Vous ne pouvez deviner à quel point je souhaiterais ne plus m'occuper de votre femme... mais il y a eu deux meurtres. Moi-même, j'ai subi deux tentatives de meurtre... et par-dessus tout, il y a trahison... Un bien lourd dossier, professeur, que je n'ai pas le droit de refermer, simplement pour vous être agréable.

Il soupira résigné :

— Bien sûr... vous avez raison... il y a des choses qu'on ne peut demander... Excusez-moi...

J'essayai d'une consolation à laquelle, je pense, nous ne crûmes ni l'un ni l'autre.

— Il n'est pas encore prouvé que Mme Montanay soit coupable... Evidemment ce poignard lui appartient, le billet était signé d'elle et rédigé, sinon de sa main, du moins de son écriture et si ce n'est pas vous... Toutefois, je n'écarte pas l'hypothèse que le poignard lui ait été dérobé.

— Pourquoi ne me l'aurait-elle pas appris ?

L'objection était valable, mais j'estimais étrange que le professeur la formulât, alors qu'il aurait dû abonder dans mon sens... Sous prétexte de la défendre, n'essayait-il pas de me démontrer la culpabilité évidente de Madeleine ? Repris par ma méfiance première à son endroit, je déclarai plus sèchement :

— Elle peut penser l'avoir égaré et craindre de vous peiner en l'avouant.

— Bien sûr ! c'est ça !

Seulement, son exclamation manquait par trop de conviction.

— Et puis, tout de même, Norrey, il y a le motif ! Ce n'est pas à vous que j'apprendrai qu'on ne tue pas, qu'on ne vole pas, qu'on ne trahit pas sans motif, à moins d'être fou et, Dieu merci, Madeleine jouit de tout son bon sens ! Non, plus je réfléchis, plus l'hypothèse de Madeleine coupable me semble absurde ! Elle ne prise guère les bijoux, aime la toilette sans exagération, n'est pas tentée par les voyages et m'est, je crois, aussi attachée qu'une femme de son âge peut l'être à un homme du mien.

Nous abordions le tournant difficile.

— Professeur, vous êtes-vous jamais demandé si Mme Montanay vous était fidèle ?

Loin de protester véhémentement ainsi que je m'y attendais, il me répondit en homme de science étudiant un problème :

— Souvent... Je ne suis plus un gamin, Norrey, et je n'ignore pas que Madeleine et moi avons une trentaine d'années de différence et que c'est beaucoup. Je tiens profondément à elle et si elle avait eu une autre affection, je crois que je l'aurais supporté pour ne pas la perdre complètement. Cela peut vous paraître monstrueux...

— En aucune façon.

— Merci de votre compréhension... J'ai mis en œuvre toutes les ressources de mon esprit pour tenter de savoir... Jamais, vous entendez ? Jamais l'attitude de Madeleine ne m'a permis de nourrir le plus léger doute... Je ne sais pas si elle m'aime au sens où les plus jeunes l'entendent — et pour dire vrai, je ne le crois pas — mais elle a pour moi beaucoup de respect et d'affection... J'irai même plus loin : si elle était éprise de quelqu'un d'autre, je suis convaincu qu'elle s'en confesserait à moi.

Ne tenant pas à lui enlever ses illusions, je pris congé de Montanay en le priant de garder pour lui tout ce qu'il avait appris au cours de cette heure.

— Ce sera difficile.

— Votre silence est la dernière chance que nous ayons de tenter de démontrer l'innocence de votre femme.

— Dans ce cas je ne dirai mot.

Je quittai la rue du Cuvier pour rejoindre l'hôtel de Paris et m'engageais dans la rue du Pont-Achard lorsque je me heurtai presque à Colette qui me lança joyeusement :
— Vous êtes rudement pressé !...
A cet instant elle remarqua mon pansement.
— Seigneur ! que vous est-il arrivé ?
— Accident de métier.
— Ce qui signifie ?
— Qu'on a essayé une fois de plus de m'expédier *ad patres*.
— Et vous semblez prendre cela en riant ?
— Pas précisément mais vous savez, dans ces histoires-là, l'essentiel est de ne pas mourir.
— Quand cela s'est-il produit ?
— Cette nuit.
— Cette nuit ? avant ou après votre rendez-vous avec Madeleine ?
Je sentis mon cœur se serrer. Sans attendre ma réponse, Colette continuait :
— Que je suis sotte, c'est forcément après puisque j'ai vu ma sœur ce matin et qu'elle m'a semblé en excellente santé... A ce propos, Guillaume, il faut que je vous gronde, bien que le moment soit mal choisi, mais je dois prévenir vos imprudences ! Mon beau-frère risque de s'apercevoir de votre manège à tous deux !
— Je ne vois pas très bien ce que vous entendez par là ?
Elle eut un petit rire complice.
— Allons, Guillaume, vous devez admettre que pour nous quitter, Jacques et moi, hier à l'entracte, il a bien fallu que Madeleine trouve une excuse... Elle nous a parlé de malaise et Jacques s'apprê-tait à la raccompagner. Elle s'est vue ainsi con-trainte de me glisser à l'oreille qu'elle devait vous

156

rejoindre à l'angle de la rue Thézard, je crois ?

Je n'en pouvais plus avaler ma salive.

— ... alors, j'ai raconté je ne sais plus trop quoi à Jacques pour le convaincre de renoncer aux règles de la galanterie et laisser sa belle-sœur regagner seule sa maison. Il n'a pas très bien compris mais, ce qu'il y a de bon avec Jacques, c'est qu'il ne discute jamais avec moi. Il fera un mari idéal si, toutefois, il ne change pas. Guillaume, à quoi rime votre attitude vis-à-vis de Madeleine ? L'aimez-vous assez pour partir avec elle ou désirez-vous seulement vous distraire ?

— J'aime profondément Madeleine.

— Alors qu'attendez-vous pour filer tous les deux ?

— Je ne pense pas qu'elle serait d'accord.

— J'en suis moins certaine que vous !

— Elle vous l'a dit ?

— Pas expressément.

— Vous voyez bien !

— Entre Madeleine et moi il n'est nul besoin que les choses soient clairement exprimées pour que nous les comprenions.

— Et puis il y a quand même son mari.

— J'estime qu'elle a largement payé tout ce qu'elle lui devait... Aucune reconnaissance ne vaut le sacrifice d'une existence entière !

— Et pourtant, Colette, il se pourrait que votre sœur ne soit pas aussi transparente que vous vous plaisez à le penser.

Je notai qu'elle ne réagit pas à cette affirmation. Sa voix s'altéra :

— Vous seul êtes capable de la sauver, Guillaume, je vous supplie de la comprendre !

— Mais... la sauver de quoi ?

— D'elle-même !

Sur cette réplique sybilline, elle me tourna le dos et s'éloigna d'un pas rapide. Qu'avait-elle voulu exprimer ? Qu'espérait-elle me suggérer ? Pourquoi cette obstination à me pousser à un enlèvement qui ne correspondrait à rien ? Une seule certitude demeurait : Madeleine m'avait menti. Le billet était bien de sa main puisqu'elle avait quitté le cinéma à l'entracte pour se rendre au rendez-vous fixé... Ainsi, ma dame de Brouage souhaitait ma mort !... De pareilles révélations vous mettent par terre, pour si endurci que vous vous imaginez être. Les baisers donnés quelques heures plus tôt à l'hôtel de Paris et dont le souvenir me troublait encore n'étaient que ruse de guerre. Il fallait me neutraliser puisqu'elle m'avait manqué... J'avançai péniblement sur le boulevard du Pont-Achard, aveugle et sourd à tout ce qui m'entourait. Je démissionnerai. J'y étais fermement résolu. J'en avais plus qu'assez de cet affreux métier. Il en parlait à son aise M. Dumolard dans son petit appartement du quatorzième arrondissement. Éliminer les traîtres, bien sûr, mais tout de même pas quand il s'agissait de la femme que vous aimez ! Je me voyais mal « éliminant » Madeleine en dépit de ce qu'elle m'avait fait... Je téléphonerai à M. Dumolard pour lui annoncer qu'il ne devait plus compter sur moi pour mener jusqu'au bout la besogne entreprise. Qu'il envoie un de ses tueurs mais pas moi ! pas moi !

A l'hôtel, l'inspecteur Reynès m'attendait en compagnie de Bussonnet qui l'initiait aux vertus roboratives du Chinon. Je m'assis près d'eux et Robert, tout de suite, remarqua :

— Ça n'a pas l'air d'aller, vieux ?

— C'est le moins qu'on puisse dire...

— Ta blessure ?

— Non. Alors, Reynès ?

Le policier m'observait curieusement.

— Ainsi que vous le prévoyiez, aucune empreinte sur l'arme...

Discrètement, Robert nous quitta en s'excusant mais il lui fallait aller voir ce qui se passait dans sa cuisine.

— Vous avez eu le temps de vous renseigner sur la situation financière de nos gens ?

— Oui... Milorad Stepanic vit chichement avec de maigres subsides envoyés par son gouvernement qui patronne ses travaux... Même son de cloche pour Moriss qui reçoit de temps à autre un petit chèque de Londres en provenance de l'Université de la capitale anglaise... Larcat, compte en banque normal, une quarantaine de mille francs qui semblent essentiellement provenir de l'héritage de ses parents. Colette, pas de compte en banque ni à la poste, un simple carnet de Caisse d'Epargne avec huit mille francs... Pas de trace de comptes au nom de Mme Montanay. Quant au professeur, il a quatre-vingt mille francs au Crédit Lyonnais... A son âge, rien que de très normal. Aucun versement insolite ni chez les uns ni chez les autres...

— Pourtant celui qui trahit ne travaille pas pour le simple amour de l'art ?

— Qui sait ?

Le policier avait raison. Qui pouvait savoir ? Et pourquoi ne me souvenais-je plus de mes idées premières touchant les raisons possibles du pillage des recherches de Montanay ? J'invitai Reynès à déjeuner. Il refusa :

— Vous ne me semblez pas très bien, monsieur Norrey, et je crois préférable de vous laisser vous reposer.

Pour monter dans ma chambre, je demandai ma clef à Olga dont les beaux yeux tendres me fixèrent longuement. A mi-voix pour que les clients n'entendent pas :

— Ça ne va pas encore, monsieur Guillaume ?

— Non, Olga... Ça ne va même pas du tout.

— Je peux faire quelque chose ?...

— Non, ni vous ni personne... Il faut attendre que ça se passe... Ce sera long.

Nous sommes ainsi bâtis que nul au monde ne saurait nous aider à porter nos charges. Il est

159

nécessaire de se débrouiller seul et de vivre et de crever, seul...

La porte de ma chambre refermée, je me jetai sur mon lit. Madeleine, ô Madeleine... Alors, tout était faux ? et Brouage, un simple divertissement d'une femme rouée ? et j'avais marché comme un gamin ! moi ! J'ignore ce qui était le plus violent en moi de l'humiliation subie ou de mon amour blessé. Je haïssais Madeleine et au même moment lui cherchais des excuses. Cet amour était si solidement fixé en moi qu'il mettrait un temps infini à mourir si toutefois il y parvenait. Mais ce qui me torturait peut-être plus que tout c'est l'évidence qui s'imposait : Madeleine ne pouvait agir seule. La voiture qui avait manqué m'écraser rue des Quatre-Cyprès n'était pas celle du professeur, c'eût été trop dangereux et s'il était possible qu'elle ait tué de sa main Antoine et Judith Fenioux, je n'acceptais pas l'hypothèse qu'elle fût capable de se servir assez bien d'un pistolet pour espérer m'abattre dans la nuit. Il y avait forcément quelqu'un d'autre pour lequel elle tirait les ficelles. Qui ? La jalousie me brûlait. Je revoyais les visages de ceux prenant le thé chez Montanay. Lequel de ceux-là était aimé de Madeleine ? Avec lequel de ces hommes complotait-elle ma disparition ? Avec lequel se moquait-elle de ma tendresse ? Peut-être lui avait-elle raconté notre aventure de Brouage pour railler mon attachement ? A cette idée, une fureur homicide me nouait les muscles. Ah ! les tenir là, tous les deux, devant moi. Lui crier à elle ce que je pensais... Quant à l'autre, l'étrangler avec douceur, sans hâte pour le sentir gigoter longuement à la recherche désespérée du souffle lui manquant. Je me repris, cependant, avant de sombrer dans un délire inutile. Je me levai, me passai de l'eau sur le visage et ayant pris une profonde inspiration, je me contraignis à étudier à peu près calmement la situation.

Je devais surmonter mes contradictions — ainsi que l'on s'exprime en langage philosophique ou politique — et rencontrer Madeleine sous un prétexte ou un autre, et l'obliger par n'importe quel moyen, à l'aveu que j'attendais avant de téléphoner à M. Dumolard.

Alors que je lui remettais mes clefs, Olga me mit sous le nez des photographies que lui avait apportées un journaliste de ses amis et qui la représentaient sur « son trente-et-un » à une exposition canine et féline qui avait eu lieu récemment à Poitiers. Tandis que j'admirais la prestance d'Olga fièrement campée devant des cages où se démenaient des bêtes aux pedigrees impressionnants, je remarquai une présence qui m'intrigua fort, celle de Jacques Larcat. Je demandai à mon amie :

— Vous le connaissez celui-là ?

Elle examina attentivement la silhouette que je lui désignais.

— Je pense bien ! c'est M. Larcat. Mais, vous me faites marcher, monsieur Guillaume ! puisque ce M. Larcat appartient à l'équipe du professeur Montanay ?

— Je voulais être certain de ne pas me tromper. Qu'est-ce qu'il fabriquait là ?

— Ma foi... Je crois me souvenir qu'il présentait une bête.

— Un chien ?

— Non, un chat.

Ainsi, Larcat lui aussi, aimait les chats ! Voilà qui m'ouvrait de nouveaux horizons ! J'avais tellement envie de trouver quelque chose pouvant innocenter Madeleine que j'étais prêt à m'élancer sur n'importe quelle piste. Je priai Olga de me donner la ligne téléphonique et je me précipitai dans la cabine où je composai le numéro des Montanay. A la femme de charge qui me répondit, j'exposai mon désir de m'entretenir avec Colette mais refusai de livrer mon nom. Dès ses premiers mots, je devinai Colette intriguée.

— Allô, c'est vous Colette ?

— Oui, mais... ah ! Guillaume ?

— Oui.

— Pourquoi ce mystère ?

— Il faut que je vous parle tout de suite !

— C'est que...

— Je vous en conjure, Colette, c'est très grave.

— Bon... dans ce cas...

— Et surtout, n'en soufflez mot à personne !

— Mais qu'est-ce que cela signifie, voyons ?

— Je vous expliquerai.

— Où m'expliquerez-vous, monsieur le mystérieux ?

— A Blossac, j'y monte tout de suite. Je vous attendrai au jardin anglais.

Je courus presque jusqu'à Blossac tant un espoir insensé me soulevait. Peut-être, au terme de ma conversation avec Colette me convaincrais-je que j'avais injustement soupçonné ma bien-aimée ? Une telle perspective faisait battre la chamade à mon cœur. Je ne voulais pas m'avouer que si les choses se passaient de la sorte, je n'aurais pas — et bien loin de là ! — résolu le problème particulier de nos relations futures, à Madeleine et à moi. Mais chaque chose à son heure ! Que je commence par laver de tout soupçon ma belle dame de Brouage, pour le reste, il serait toujours temps !

Colette était déjà là lorsque j'arrivai au jardin anglais. Elle se hâta à ma rencontre.

— Que se passe-t-il ?

— Ne vous étonnez pas de l'allure saugrenue de ma question, Colette, mais... Larcat aime-t-il les chats ?

A la façon dont elle m'examina, je vis bien qu'elle s'interrogeait sur ma santé mentale. Elle rougit de colère et s'écria :

— Et c'est pour ça que vous m'obligez à...

— Je vous en prie, Colette ! Vous devez bien vous douter que je ne suis pas devenu subitement idiot, n'est-ce pas ? Alors, répondez-moi : Larcat aime-t-il les chats ?

162

— Ni plus ni moins que n'importe qui.

— Ah !

— Vous semblez déçu ?

— Colette, si votre fiancé n'éprouve pas une passion exclusive pour ces petits animaux, pourquoi présentait-il une de ces bêtes au dernier concours de Poitiers ?

— C'est Madeleine qui le lui avait demandé.

— Madeleine ?

— Oui, ma sœur adore les chats... Sa Nébuleuse règne en maîtresse à la maison... et elle a été très déçue qu'elle n'ait pas remporté un prix à ce concours.

Tout tournait autour de moi. Ainsi, au lieu d'innocenter Madeleine, mes découvertes ne faisaient que l'enfoncer davantage. Doucement, je dis :

— Elle ne tuerait pas un chat ?

— Elle ? jamais !... M'expliquerez-vous maintenant ?...

— A quoi bon ?

Timidement, elle me chuchota :

— C'est à cause de Madeleine ?

— Oui, j'ai peur pour elle.

— Peur ?

Il fallait que je sache, à n'importe quel prix.

— Ecoutez-moi, Colette... Vous connaissez bien votre sœur ?

— Il me semble que oui.

— A-t-elle un amant ?

— Guillaume !

— Je vous en supplie, Colette, ne vous offusquez pas, ne me ménagez pas. Croyez que si je vous interroge, ce n'est pas la jalousie qui me pousse. C'est bien plus important que cela... D'ailleurs, en ce qui me concerne, j'ai pratiquement renoncé à elle.

— C'est vrai ?

— C'est vrai mais... le plus dur reste à faire et j'ai besoin de votre aide.

— Qui vous a mis au courant ?

— Au courant de quoi ?

— Pour Madeleine.

Ça y était ! Au moment d'apprendre la vérité, je reculais.

— Personne.

— Personne, mais alors, comment vous y êtes-vous pris pour le découvrir ?

Malgré mes efforts je ne pouvais plus échapper à la vérité.

— Allez-y, Colette... Je veux essayer de sauver Madeleine mais pour cela vous ne devez plus rien me cacher.

Elle secoua tristement la tête.

— Je ne pense pas que vous y parviendrez, Guillaume. Moi-même, j'ai tout essayé... Il faut croire qu'elle a ça dans le sang... et qu'elle est capable de n'importe quoi pour assouvir une passion à laquelle elle n'a pas la force de résister... Un instant, quand elle m'a raconté votre aventure de Brouage, j'ai espéré. C'est pour cela que je lui ai conseillé de fuir avec vous... Un moment j'ai bien cru qu'elle accepterait car, si cela peut atténuer votre peine, Guillaume, Madeleine vous aime autant qu'elle peut aimer quelqu'un...

— Mais elle m'aime moins que l'autre !

— L'autre ! quel autre ?

— Ne parliez-vous pas de passion ? J'imagine que vous avez voulu me laisser entendre que votre sœur, sous des dehors austères, est une femme esclave de ses sens et que notre aventure de Brouage que je me figurais unique pour elle et pour moi n'était qu'un divertissement dont elle a l'habitude ?

— Pas du tout ! En voilà une idée ! Je suis certaine, vous entendez Guillaume ! certaine que vous êtes le seul homme que Madeleine ait jamais aimé et aime sans doute encore. Votre rencontre de Brouage a été pour elle une sorte de havre qu'elle n'oubliera sans doute jamais...

— Mais alors...

— ... la tendresse qu'elle vous porte n'est, hélas, pas suffisante pour lui permettre de vaincre son vice.

— Son vice ? mais quel vice, à la fin ?

— Le jeu.

Colette fondit en larmes. J'essayai de la consoler en la prenant aux épaules. Elle s'arracha brutalement à mon amicale étreinte.

— Si vous vous êtes moqué de moi, si vous avez plaidé le faux pour savoir le vrai, je vous déteste !

Et puis, avec ce manque de suite dans les idées comme dans le comportement, elle se jeta sur ma poitrine.

— Oh ! Guillaume, j'aurais tant souhaité que vous réussissiez... son mari ne lui est d'aucun secours. L'égoïsme de Pierre le rend incapable de s'apercevoir que d'autres souffrent près de lui. Il est le centre de son propre monde, le seul qui l'intéresse.

— Madeleine joue depuis longtemps ?

— Je ne sais pas... Je ne m'en suis aperçue que depuis deux ans.

— Et elle joue... gros ?

— Je le crains.

— Et... elle gagne ?

— Je ne le pense pas si j'en juge par sa nervosité, certains jours.

— Mais quand, où joue-t-elle ?

— Aux courses... Elle a un compte ouvert à Paris et elle téléphone tous les matins ses paris. Elle me l'a avoué dans un moment de dépression car elle se rend compte, vous savez, mais elle n'a pas la volonté de guérir.

Nous fîmes quelques pas en silence.

— Colette, vous êtes-vous demandé où elle prenait les importantes sommes d'argent dont elle a besoin ?

— Oui.

— Où ?

— Je l'ignore.

Moi je le savais mais je ne crus pas utile de le lui apprendre.

— Ne lui avez-vous pas demandé ?

— Je n'ai pas osé.

— Colette... Je veux tenter un ultime effort... Dites à votre sœur que je l'attends au Jet d'Eau à six heures. Au point où nous en sommes, nous n'avons plus à nous soucier de l'opinion publique.

— Je ferai votre commission, à une seule condition : jurez-moi que vous ne révélerez pas à Madeleine d'où vous tenez vos renseignements.

— Je vous le jure.

Je n'eus pas le courage de regagner l'hôtel de Paris, redoutant des questions auxquelles je ne me sentais pas la force de répondre. Ce que ne comprenait pas Colette, m'apparaissait avec trop d'évidence. Prise tout entière par cette passion du jeu, Madeleine avait sans doute été sollicitée par quelqu'un au courant de sa terrible habitude. Et elle avait accepté n'importe quoi pour se procurer cet argent dont elle avait tant besoin. Elle trahissait son mari en vendant le fruit de ses travaux. Montanay n'était pas le cœur sec que Colette, par affection pour sa sœur, se représentait.

Ce qui me déconcertait plus que tout, c'est que Madeleine — sur le cœur de laquelle sa cadette s'illusionnait — ait pu assassiner Antoine et Judith Fenioux... qu'elle ait osé essayer de me tuer à deux reprises. Était-il pensable que la passion du jeu ait pourri cette malheureuse à ce point-là ? Je marchais dans un état second, ne me rendant même pas compte où j'allais. Lorsque je repris pleinement conscience des réalités, je m'aperçus que je me trouvais très loin sur l'avenue de la Libération, ayant dépassé le carrefour des Trois-Bourdons et qu'il était 5 heures. Je me suis hâté de revenir sur mes pas pour être au rendez-vous fixé. Ma résolution était prise. Tant pis pour M. Dumolard ! Je donnerais une chance à Madeleine de fuir pour éviter le châtiment. Je n'ignorais pas qu'en agissant de la sorte, à mon tour, je trahissais mais je ne pouvais me résoudre à abattre moi-même ma dame de Brouage.

Elle entra au Jet d'Eau d'un pas ferme. Elle s'arrêta près de la porte, me cherchant des yeux et je la voyais plus belle que jamais. M'ayant aperçu, elle m'adressa un léger signe de tête et se dirigea vers moi. Maintenant, le drame commençait, je m'efforçais de savourer ses ultimes secondes où rien encore n'était irrémédiablement fixé. J'éprouvais une espèce de haine pour tous ces paisibles consommateurs qui ne soupçonnaient pas l'agonie que j'étais en train de vivre. Oh ! les douceurs provinciales...

Elle prit place en face de moi. Je n'avais pas la force d'articuler un mot.

— Je ne suis ici, Guillaume, que parce que Colette, que vous avez rencontrée, paraît-il, m'a assurée que vous aviez quelque chose de très important à me confier.

— Avez-vous de l'argent, Madeleine ?

— Qu'est-ce que vous me racontez ?

— Avez-vous de l'argent, beaucoup d'argent ?

— Mais non, bien sûr...

— Combien de temps vous faut-il pour boucler vos valises en emportant l'essentiel de ce dont vous avez besoin ?

— Vous êtes fou ou quoi ?

— Il faut partir, Madeleine, et très vite. Le plus vite que vous pourrez. En ce qui concerne l'argent, je m'arrangerai. Bussonnet me prêtera suffisamment pour que vous puissiez attendre que je vous fasse parvenir d'autres fonds.

— Cela suffit, Guillaume ! Je ne vous connaîtrais pas, je croirais que vous avez bu !

— Ne perdez pas votre temps à jouer une comédie inutile, Madeleine.

Elle se troublait. Me regardant fixement, elle murmura :

— Guillaume, j'ai peur...

— Il y a de quoi ! En vous permettant de vous sauver, je trahis ma mission, mais je vous aime plus que mon honneur...

— Vous trahissez ?...

— Je sais qui est l'auteur des vols commis au laboratoire. Je sais qui a assassiné Antoine et Judith Fenioux... Je sais qui a essayé de me tuer par deux fois.

— Et c'est ?

— Vous !

Elle resta interloquée puis, la colère prit le dessus.

— Me serais-je trompée sur votre compte, Guillaume ? A quoi rime une plaisanterie aussi stupide ?

Elle m'examina avec attention avant de s'exclamer :

— Mais... mais vous êtes sincère, ma parole !

— Je sais même pourquoi vous avez commis tous ces crimes.

— Je serais heureuse de l'apprendre.

— Pour vous procurer ce sale argent dont vous avez tellement besoin pour...

— Pour ?

— Pour satisfaire votre passion du jeu.

Elle me regarda longuement puis, tout en se levant, m'assura :

— Si je ne me rendais pas compte que vous souffrez, Guillaume, je ne vous pardonnerais jamais !

CHAPITRE VI

Je n'avais pas essayé de retenir Madeleine. A quoi bon lui expliquer que son attitude de défi ne correspondait plus à rien ? Quelle que puisse être la panique l'agitant intérieurement, elle espérait peut-être encore me donner le change... Ou bien avait-elle décidé de m'affronter ? Elle se rendait parfaitement compte que je ne possédais pas de preuves réelles contre elle et en l'avertissant, je la mettais à l'abri de mes coups. Elle devait s'imaginer qu'il lui suffirait désormais de se tenir tranquille pour que je ne puisse rien tenter contre elle. Elle oubliait que Reynès recherchait le meurtrier ou la meurtrière des Fenioux et qu'il possédait un poignard dont il ne tarderait pas à vouloir trouver l'origine. Pauvre Madeleine qui s'imaginait plus forte que la loi...

Cependant en dépit de ce que m'avait raconté Colette, il m'apparaissait impossible que Montanay ne se fût pas aperçu des agissements de sa femme. Devais-je admettre sa complicité volontaire ou obligée ? Complicité qui ne se serait affirmée qu'après la mort des Fenioux, tant pour protéger celle qu'il aimait — malgré ce que pensait sa belle-sœur — que pour préserver son propre honneur. La femme de Montanay arrêtée pour meurtre et trahison ! La carrière du professeur n'y résisterait pas.

De retour à l'hôtel de Paris, je m'installai à une table et demeurai plongé dans des réflexions moroses. Bussonnet, qui allait d'un client à l'autre, serrant la main de celui-ci, disant un mot à celui-là, plaisantant cet autre, s'arrêta devant moi :

— J'ai l'impression que ça ne tourne pas rond ce soir, hein, Guillaume ?

— C'est moche ce qui m'arrive, Robert.

— Ah !... très moche ?

— Encore plus...

— Bon.. On verra ensemble tout à l'heure, quand on aura dîné.

— Je n'ai pas faim.

— Ne dis donc pas de bêtises, pas besoin d'avoir faim pour manger !

Et sur cette réflexion, il s'en fut, vêtu de blanc, coiffé de blanc, sacrificateur du plus vieux rite du monde. Leur papa disparu, les demoiselles Bussonnet qui rentraient de leur école vinrent s'abattre autour de moi. L'une me grimpa sur les genoux — la dernière et la plus gâtée — et, de cette position privilégiée, regarda dédaigneusement ses aînées me montrer leurs devoirs et les dessins où leurs imaginations recréaient un monde absurde où les lois physiques étaient hautement ignorées. Au milieu de ces trois petites filles, malgré moi je pensais que si j'avais rencontré Madeleine plus tôt, non seulement je l'aurais sûrement préservée de ce qui était devenu une passion frénétique, mais encore que nous aurions fondé une famille et goûté ce bonheur paisible que feignent de mépriser ceux qui n'ont su le trouver.

Olga se montra — incarnation d'un destin inexorable — au milieu de notre assemblée babillarde afin de nous ramener sur terre, là où les lois physi-

170

ques ne supportent plus qu'on leur manque de respect. Il était l'heure du repas pour les demoiselles Bussonnet et mes petites amies m'abandonnèrent, non sans échange de baisers multipliés.

Après le dîner pris en compagnie de Bussonnet et de sa femme où chacun — sauf Olga incapable de feindre — s'efforça de témoigner d'une gaieté qui lui était étrangère, la maîtresse de maison, comme chaque soir, nous abandonna afin d'aller surveiller le coucher de sa progéniture. Quand nous fûmes seuls, Robert partit pour chercher dans sa réserve personnelle une bouteille de Chinon 59, en remplit deux verres et déclara :

— Maintenant, je t'écoute.

— Je pars demain.

— Ah ?... Tu te souviens que tu m'as déjà fait le coup ?

— Oui, mais cette fois, c'est décidé.

— Parfait... et tu pars pourquoi ?

— Parce que je n'ai plus rien à faire à Poitiers.

— Je te remercie. J'espérais que lorsque tu en aurais terminé avec tes sales histoires, tu nous consacrerais quelques jours pour qu'on puisse aller se promener un peu et saluer les copains.

— Pas envie.

Nous vidâmes nos verres que mon hôte remplit aussitôt sachant bien que le vin de qualité est le meilleur remède à toutes les mélancolies.

— Toujours cette Madeleine ?

— Oui.

— Enfin, cré bonsoir ! elle n'est pas seule au monde !

— Pour moi, si.

Bussonnet haussa les épaules, dégoûté.

— Franchement, je ne te comprends pas !

— Rassure-toi, je ne me comprends pas mieux moi-même.

— Ecoute, Guillaume, faudrait quand même voir à ne pas te conduire comme un idiot !

— C'est que je crois bien que j'en suis un, Robert.

— Eh bien ! pour une fois nous serons d'accord sur un point ! Guillaume, tu l'aimes, n'est-ce pas, cette Madeleine ? et tu souhaiterais vivre avec elle ?

— Oui.

— Bon ! de son côté, elle t'aime autant que tu l'aimes...

— Non.

— Comment ça, non ? Je ne l'ai peut-être pas vue ici ?

— Sans doute, mais tu ne l'as pas vue rue des Quatre-Cyprès essayant de m'écraser, tu ne l'as pas vue me tirer dessus hier au soir du haut du mur de Blossac...

Khrouchtchev et Kennedy seraient entrés bras dessus bras dessous à l'hôtel de Paris, annonçant qu'ils arrivaient directement de Moscou et Washington pour déguster une omelette Trocadéro, que Bussonnet n'eût pas paru plus pétrifié. Il mit un certain temps à retrouver la force de refermer la bouche et ce fut pour s'exclamer d'une voix frémissante de soupçons indignés :

— Tu ne te ficherais pas de moi, par hasard ?

— Ai-je la tête d'un type qui plaisante ?

— Ça non, j'en conviens... Eh bien ! mon vieux, si je m'attendais à celle-là... Alors, c'est elle l'espion que tu cherchais ?

— Oui.

— Mon pauvre Guillaume... Tu parles d'un coup dur ! Tu vas l'arrêter ou quoi ?

— Je laisse ce soin à un autre. Le téléphone est branché ?

— Non, mais c'est facile...

J'appelai M. Dumolard.

— Allô... c'est Guillaume...

— Je me doute bien que ce n'est pas le pape. Alors ?

— Ça y est...

172

— Voulez-vous exprimer par-là que vous avez découvert l'identité de celui qui...

— Oui.

— Excellent. Je commençais à désespérer de vous, Guillaume... tout est bien qui finit bien.

— Vous avez le sens des formules heureuses !

— Qu'est-ce qui vous prend ? Encore une de vos lubies ? Et puis, peu importe ! Vous vous arrangerez pour l'éliminer le plus tôt possible, n'est-ce pas ?

— Non.

— Ah ?... pourquoi ?

— Je ne peux pas.

— Pour quelles raisons, je vous prie ?

— Je n'ai pas la preuve formelle ou l'aveu... et puis...

— Et puis ? Enfin, qu'est-ce que vous avez ce soir ?

— Patron... il s'agit d'une femme...

— Tiens... tiens... le fameux X est une femme... et alors qu'est-ce que ça change ?

— C'est que cette femme est justement celle dont je vous ai parlé... celle que j'ai rencontrée il y a deux ans à Brouage.

— Ah ?... Evidemment... Seulement, mon cher Guillaume, je ne vous ai pas expédié à Poitiers pour jouer les romantiques... alors, faites votre métier et ne venez pas m'embêter avec vos histoires de midinettes !

— Mais...

— Taisez-vous !... vous terminez l'affaire demain.

— Je vous ai dit...

— Je me fiche de ce que vous m'avez dit !... Figurez-vous qu'ici nous ne sommes pas restés les bras croisés... Nos indicateurs ont repéré un acheteur connu — Leonev — à qui vous avez eu déjà affaire, je crois ?

— Oui.

— Vous vous le rappelez ?

— Parfaitement.

— Il a pris hier un billet pour Poitiers, un billet d'aller et retour. Il débarquera chez vous vers midi... Débrouillez-vous pour le filer et prenez-les sur le fait, lui et son fournisseur... Pour le fournisseur les consignes demeurent, quant à Leonev, il est vieux et fatigué... tout prêt pour le double jeu... alors ménagez-le... Il peut servir. Je compte sur de bonnes nouvelles dès demain soir. Au revoir.

Il raccrocha avant que je n'aie pu protester.

Pour coincer Leonev, j'avais besoin de l'aide de la police officielle. Je priai Reynès, le lendemain matin, de venir me voir à l'hôtel. Il se rendit de fort bonne grâce à mon invite et là, sans lui parler de Madeleine, je lui annonçai l'arrivée de Leonev et comment j'envisageais d'intercepter l'agent étranger avec son appui. Je lui demandai de se mettre en contact avec le patron de l'hôtel où Leonev descendrait pour qu'on me donne accès à une chambre me permettant de surveiller la porte de mon adversaire. Le bureau de la réception me téléphonerait pour me signaler tout visiteur demandant Leonev. Reynès accepta de jouer le jeu à condition que je lui permettrais d'arrêter le meurtrier des Fenioux. Je préférais cette solution qui ne m'obligerait pas à me transformer en tueur pour obéir aux ordres de M. Dumolard. De toute façon, avec deux crimes, la coupable serait enfermée pour le reste de ses jours. L'image de Madeleine derrière les barreaux espérant, attendant une impossible délivrance, réimposa à ma mémoire le souvenir de Marie Mancini guettant inutilement la venue de la galère royale.

A midi, je me trouvais à la gare en compagnie de l'inspecteur Reynès. A midi 16, les premiers voyageurs du train arrivant de Paris commencèrent à sortir. Je repérai assez vite Leonev qui n'avait guère changé depuis notre dernière entrevue, qui remontait à près de cinq années. Tout au plus était-il légèrement voûté. Dumolard avait raison, l'homme était sur sa fin et ne devait plus aspirer qu'au repos. Il prit un taxi que nous suivîmes dans la voiture particulière de Reynès. Leonev se fit conduire à l'hôtel Charlemagne dans la rue Lebascles, en plein centre de la ville. Nous le laissâmes s'installer, puis Reynès s'en fut parler au directeur qui ne pouvait refuser d'accéder à sa demande. Par un coup de chance, la chambre jouxtant celle de mon gibier était libre. Je m'y installai rapidement. Je n'eus pas à attendre longtemps pour, l'oreille collée à la cloison, entendre Leonev se servir du téléphone et demander un numéro qui m'échappa. Quand je perçus les premiers mots de mon voisin.

— Allô, Madeleine ?...

Je fus pris d'une sorte de vertige qui m'empêcha d'attraper la suite du monologue, fort bref, de Leonev et presque aussitôt me parvint l'écho de l'appareil qu'on raccrochait. Quelques secondes plus tard, Reynès me téléphonait pour m'annoncer que mon voisin avait parlé à une certaine Madeleine dont il n'avait pas prononcé le nom, pas plus qu'il n'avait donné le sien d'ailleurs, et qui lui avait promis d'être bientôt auprès de lui avec ce qu'il attendait. La bouche sèche, je m'efforçai de remercier l'inspecteur et le priai de rester sur place afin qu'il puisse répondre immédiatement à mon appel. Lorsque le policier m'eut affirmé une fois de plus que je pouvais compter sur lui, je me suis étendu sur le lit. Je n'en pouvais plus. Jamais encore je n'avais été pris d'une pareille faiblesse au moment d'entrer en action. Je veillissais beaucoup plus vite que je ne me le figurais. A ma décharge, j'essayai de me prouver que jamais non plus je n'avais été aussi directement intéressé par les protagonistes d'une affaire. Un instant l'envie me prit de me contenter de Leonev et de laisser à Reynès le soin d'arrêter Madeleine. Mais la lâcheté m'a toujours répugné...

La sonnerie du téléphone m'arracha à mes songes moroses. Le directeur de l'hôtel m'apprenait qu'une dame fort emmitouflée pour la saison venait de demander M. Leonev et gagnait sa chambre. Je bondis à ma porte pour écouter et j'entendis le bruit de l'ascenseur dont on claquait les grilles, puis à travers le long chuintement de l'appareil renvoyé, le tap-tap — assourdi par le tapis — des talons de chaussures féminines. De même que dans les films d'avant-garde, cet écho amorti prenait pour moi des dimensions considérables. Il me semblait se répercuter dans l'hôtel tout entier et malgré ce tumulte inventé, je percevais très clairement ce qui se passait dans le couloir. J'entendis Madeleine frapper chez Leonev, la porte de ce dernier s'ouvrit et sa voix toujours un peu chuintante :

— Entrez donc chère amie...

Madeleine de Brouage... Madeleine dont je rêvais depuis deux longues années... De l'autre côté de la cloison, l'entretien fut des plus rapides. Les espions n'ont point pour habitude de se perdre en paroles inutiles. Je voyais la scène comme si j'y assistais. Madeleine remettait à Leonev l'enveloppe qu'il décachetait pour en vérifier le contenu puis, satisfait, il sortait de sa valise la somme d'argent promise. Dès lors, tout était terminé, Madeleine oublierait jusqu'au visage de Leonev et ce dernier ne se souviendrait plus d'une affaire traitée à Poitiers. La règle de notre jeu. Je partais si bien à la dérive dans mon propre désespoir que je n'entendis pas les deux complices se séparer. Ce fut de nouveau le tap-tap des talons de Madeleine qui me rendit à ma tâche. Je me jetai sur la porte que j'entrouvris et, prenant mille précautions pour ne point me montrer, j'eus le temps d'apercevoir la visiteuse s'engager dans l'escalier. Je reconnus son manteau.

La preuve que je cherchais en espérant obscurément ne pas la trouver, je la tenais sans le moindre doute possible. A quoi bon récriminer, injurier le sort ? J'avais été roulé. Il me fallait en prendre mon parti. Maintenant, il ne me restait plus qu'à exercer ma justice qui se confondait avec ma vengeance.

J'appelai le directeur et le priai de téléphoner à Leonev pour lui annoncer que sa visiteuse avait omis de lui dire quelque chose d'important et qu'elle remontait le voir. Je laissai le temps à cet excellent homme d'accomplir sa mission et me glissai dans le couloir, mon pistolet à la main. Je grattai à la porte de mon voisin, comme plus tôt Madeleine. Sans méfiance, Leonev ouvrit. Ma vue le paralysa quelque peu, j'en profitai pour le repousser et refermer l'huis derrière moi.

— Pas de bêtises, hein, Leonev ?

— Mais, monsieur...

— Non, Leonev, pas vous... Laissez ce genre de défense aux débutants, voyons !

Il hésita :

— Je vous assure que...

— Nous nous connaissons depuis assez longtemps pour ne pas avoir à jouer la comédie. C'est fini pour vous, mon vieux.

— Qu'est-ce que vous désirez ?

— Je ne désire pas, cher ami, je veux les papiers du professeur Montanay qu'on vient de vous apporter. Vous me les donnez, ou si je fouille vos affaires ?

Il haussa les épaules.

— C'est bon, Norrey, vous avez gagné.

— Parfait ! N'est-ce pas mieux ainsi ?

Il empoigna sa valise, l'ouvrit, y plongea la main. Je le prévins :

— Pas de sottises, camarade ! Je tire toujours aussi vite...

— Vous ne pensez pas qu'à mon âge je m'amuse encore à ça ?

Il me tendit l'enveloppe et j'en contrôlai soigneusement le contenu. La liasse qu'on avait photocopiée dans la nuit précédant le meurtre de Judith Fenioux.

— Vous doutez-vous, Leonev, que ces papiers ont coûté la vie à deux personnes qui n'avaient rien à voir avec nos histoires ?

— Dans les guerres aussi meurent des tas de gens qui ne savent même pas pourquoi on les envoie tuer ou se faire tuer.

— C'est juste.

— J'ai versé vingt mille francs pour les papiers que vous m'avez repris.

— Je pense vous les rendre.

— Vous m'étonnez ?

— Je vais vous surprendre Leonev. Vous m'êtes sympathique.

— Vous êtes fort aimable.

— Il y a combien de temps que vous travaillez dans le métier ?

— Une trentaine d'années.

— En somme, un vieux fonctionnaire de la trahison.

— Je n'aime guère ce mot. Je ne trahis personne puisque je suis apatride. Je conclus simplement des affaires. Un commerce comme un autre après tout, non ?

— Mais comportant de gros bénéfices.

— Et pas mal de risques...

Il sourit en montrant mon pistolet.

— ... la preuve !

Je rengainai mon arme.

— Ecoutez-moi, Leonev, il est temps pour vous de vous ranger. Je vous donne une dernière chance, à vous d'en profiter.

— Je vous écoute.

— Vous êtes riche ?

— Riche ? oh ! non... disons que j'ai mis quelques sous de côté pour mes vieux jours.

Il soupira comiquement.

— Je crois bien avoir pris une mentalité de petit bourgeois à force de vivre dans votre pays !

— Tant mieux... Voilà ce que je vous propose : vous vous retirez complètement du circuit, vous grignotez sagement vos rentes et quand nous aurons besoin de vous pour des opérations sans danger, du genre tractation par exemple, nous vous appellerons, histoire de vous donner l'occasion de gagner quelque argent. Moyennant quoi, on vous fiche la paix, on ne se rappelle plus rien de votre passé ; d'accord ?

— C'est tentant parce que, pour ne rien vous cacher, Norrey, je me sens tout de même fatigué. Seulement, j'en ai trop vu pour ajouter foi aux contes de fées... le prix de tout ça ?

— Vous m'aidez à mettre un point final à l'affaire Montanay.

— Et qu'est-ce qui me prouve que vous n'êtes pas en train de me rouler ? Excusez-moi, mais ce n'est pas à vous que j'apprendrai que dans notre métier, nous ne pratiquons guère la confiance.

— Vous avez entendu parler de M. Dumolard ?

— Vous feriez aussi bien de me demander si j'ai entendu parler de la reine d'Angleterre !

Au téléphone je demandai le numéro de mon patron et lorsque je l'eus en ligne, j'annonçai :

— Ici, Guillaume.

— Il y a un moment que j'attends votre appel ! Tout est terminé, j'espère ?

— Presque... A côté de moi, j'ai Leonev à qui je passe l'écouteur...

La voix de M. Dumolard se fit presque aimable.

— Alors, vieille fripouille, on s'est fait posséder ? Vous avez de la chance que j'éprouve pour vous la sympathie qu'on ressent pour une sorte de camarade de classe. Nous devons être à peu près du même âge, Leonev ?

Je passai l'appareil à l'apatride et pris, à mon tour, l'écouteur.

179

— Je suis né en 98.

— Et moi en 99 !

— Monsieur Dumolard... Norrey m'a transmis des propositions...

— Des propositions que vous pouvez accepter ou refuser, Leonev. Le temps des marchandages est terminé. Il faut bien vous le mettre dans la tête. Repassez-moi Norrey et venez me voir demain soir, 22 heures chez moi, je vous y attendrai.

Nouvel échange d'écouteur et de combiné.

— Je vous écoute, patron ?

— Dans combien de temps pensez-vous avoir fini ?

— Deux heures, peut-être.

— Appelez-moi à 20 heures. Prenez le train demain matin, 10 heures. Nous déjeunerons ensemble. Je vous invite. Chez moi. Au revoir.

Leonev hocha la tête.

— Un grand bonhomme... Un chef. Et maintenant, allez-y Norrey, je marche avec vous.

— Le nom de votre vendeuse ?

— Madeleine Montanay.

— La femme du...

— Eh ! oui... quand je vois des choses pareilles, je me félicite de ne m'être jamais marié !

— Savez-vous si elle travaillait avec quelqu'un d'autre ?

— Sûrement car il n'y a qu'un spécialiste qui pouvait me fournir le travail qu'elle m'apportait... A force d'évoluer un peu dans tous les compartiments de l'activité scientifique... ma spécialité... j'ai acquis quelques notions... solides. Mais, j'ignore qui est l'associé de Mme Montanay.

— Vous allez justement m'aider à le découvrir.

Une conférence nous réunit à l'hôtel de Paris, l'inspecteur Reynès et moi. Si le policier éprouva quelque étonnement de la présence de l'apatride il ne le montra point. Lorsque nous fûmes d'accord

180

sur le plan que je leur proposais, nous prîmes rendez-vous pour 19 heures à l'entrée de la rue du Cuvier.

Reynès parti, je présentai Leonev à Olga et à Robert. Il conquit tout de suite leur sympathie car il savait y faire, le bougre et, amusé, je l'entendais parler à mon amie de ses petits-enfants qui n'existaient que dans son imagination. Il séduisit Bussonnet par ses connaissances gastronomiques et œnologiques ; tout se termina, naturellement, par un rassemblement général autour d'une bouteille de Chinon. Robert, me désignant, s'enquit auprès de Leonev :

— Il y a longtemps que vous connaissez cet individu ?

— Oh ! oui...

— Et qu'est-ce que vous en pensez ?

— Ce que j'en pense ? Il est fort... Certes, j'ai connu plus fort que lui, mais tout de même, ce n'est pas mal...

L'air innocent, Bussonnet s'enquit :

— Vous travaillez dans la même branche que lui ?

— En effet.

Mon Robert faillit s'étrangler avec une gorgée de Chinon tandis qu'Olga demandait innocemment :

— Vous êtes aussi ingénieur ?

— En quelque sorte, oui, madame.

Je m'empressai de détourner la conversation et nous passâmes une fin d'après-midi fort agréable, car Leonev était un homme cultivé, ayant beaucoup voyagé. A un moment donné, Bussonnet gagnant sa cuisine, je l'y suivis.

— Qu'est-ce que c'est que ce type, Guillaume ?

— Un espion, tiens ! Je l'ai arrêté tout à l'heure.

— Tu l'as... et tu trinques avec lui ? Tu permets à Olga de boire en sa compagnie ?

— Rassure-toi, il est passé à notre service. C'est un collègue à présent.

— Je n'y comprends plus rien du tout ! Enfin, quand est-ce que ce sera fini ce cirque ?

— A 19 h 30, vraisemblablement... et je partirai demain matin par le « Drapeau » avec Leonev.

— Mais... et ta dame de Brouage ?

— Elle sera en prison.

A 19 heures nous arrivâmes rue du Cuvier où Reynès nous attendait avec deux policiers en civil et Stepanic qu'il était allé chercher. Je m'approchai de ce dernier :

— Stepanic, vous n'êtes pas arrêté.

— On ne le dirait pas.

— Nous sommes sur le point de démasquer l'assassin de Judith Fenioux.

— C'est vrai ?

— C'est vrai et j'aurai peut-être besoin de vous.

— D'accord !

A 19 h 15, je pénétrai dans le laboratoire en compagnie de Reynès. Je me rendis directement chez Montanay. Il me regarda entrer sans manifester le moindre sentiment. Je fus frappé par son changement physique depuis la veille. Cet homme ne pouvait être coupable ou alors c'était la peur qui le mettait dans cet état.

— Professeur... le moment est venu.

— Le moment est venu ?.. de quoi ?

— De démasquer celui qui trahit votre confiance et qui a tué les Fenioux.

Il étendit ses mains devant lui dans une sorte de geste d'offrande.

— Je suppose que plus rien ne peut vous arrêter maintenant ?

— Plus rien.

Il baissa la voix pour chuchoter :

— Vous... vous pensez que... c'est elle ?

Je préférai ignorer la question.

— Venez, professeur... Il faut que nous ayons le courage d'aller jusqu'au bout...

182

Il se leva pesamment.

— Me croirez-vous, Norrey, si je vous avoue que je préférerais mourir plutôt que d'apprendre...

— Je vous crois. Nous allons, avec les autres, gagner votre appartement et là... je vous prie simplement de ne pas parler, quoi que vous voyiez, quoi que vous entendiez...

— J'essaierai...

Lorsque nous rejoignîmes Larcat et Moriss, ceux-ci nous demandèrent ce qui se passait. Montanay se contenta de dire avec lassitude :

— Nous rentrons à la maison, Jacques... Suivez-nous, vous aussi Moriss...

Dans le jardin, Stepanic et Leonev attendaient. Je groupai tout mon monde dans l'antichambre, sous la garde des deux policiers, et je pénétrai dans le salon avec Reynès. Madeleine, assise dans un fauteuil, près de sa sœur, caressait Nébuleuse installée sur son giron. Colette, interrompue dans la lecture d'un livre, nous contemplait avec étonnement. Quant à Montanay, accablé, écrasé sur sa chaise, les mains croisées, il donnait l'impression d'être très loin de nous. En vain, sa femme s'enquit :

— Tu as invité ces messieurs, Pierre ?

Il ne répondit pas, mais m'adressa un coup d'œil désespéré. Je le suppléai :

— Madame, l'inspecteur Reynès et moi n'avons nul besoin d'être invités pour exercer notre métier... Vous permettez que nous nous asseyions ?

— Après ce que vous venez de prétendre, monsieur, il me semble vain de demander ici quelque permission que ce soit.

Reynès et moi prîmes une chaise et nous installâmes face aux deux femmes.

— Mesdames, je vais céder à ma manie en vous racontant, une fois encore, une histoire...

— Ne pourriez-vous vraiment vous en dispenser ?

— Vraiment non, madame.

Madeleine soupira, tout à la fois résignée et méprisante.

— Dans ce cas...

— Un jour, mon chef me fit appeler pour me confier sa certitude que les travaux du professeur — que le professeur s'imaginait connu de lui seul — étaient proposés à des gens qui, dans la plupart des capitales, tiennent commerce de secrets internationaux... Mon chef s'affirmait convaincu que le voleur ou le traître, selon sa nationalité, avait accès aux dossiers de Montanay et devait donc être recherché dans son entourage immédiat. Se félicitant de ce que je sois ingénieur électronicien et que le professeur cherchât un adjoint, il s'arrangea pour que M. Montanay me choisît... Je pense que pour ce faire on a dû truquer légèrement mes états de service... Ma chance a été de boire un café dans le bistrot proche du laboratoire et d'y reconnaître Antoine Fenioux, quelque peu pris de boisson et qui, poussé par un contradicteur, non seulement révéla la nature des recherches du professeur — ce qui était, vous l'avouerez, curieux — mais encore montra une liasse de billets de banque en se vantant de s'en procurer autant qu'il en voudrait. Il n'était pas besoin d'être grand clerc pour admettre que le concierge travaillait pour l'espion qu'il me fallait démasquer. Je racontai cette scène, ici même, en prenant le thé. Le lendemain Antoine Fenioux était découvert mort, assassiné. Ainsi se confirmaient les pronostics de mon chef : celui ou celle qui abusait de la confiance du professeur se tenait dans son voisinage immédiat ; il ou elle prenait le thé avec nous et avait tué Fenioux à la suite de mon récit.

Sur mon ordre, un policier avait entrebâillé la porte donnant dans l'antichambre, pour que les autres puissent entendre ce que je disais.

— Jugeant que Judith Fenioux pouvait être au

courant du trafic de son mari et persuadé que l'espion aurait obligatoirement recours à elle pour en recevoir les services que lui rendait le concierge, je feignis de mener une cour empressée auprès de la veuve. Je le regrette pour la mémoire de la belle Judith mais elle était vénale. Le meurtrier s'en doutait et devinant le danger que je représentais, il essaya de m'écraser rue des Quatre-Cyprès. Pour éviter un chat au dernier moment, il donna un coup de volant qui me sauva la vie. Ce scrupule m'incita à soupçonner Herbert Moriss dont la passion pour les chats est de notoriété publique. Mon adversaire ayant manqué son coup, fut servi par la chance. Contrairement à sa propre attente, le professeur arrivait plus vite qu'il ne l'avait pensé aux termes de ses recherches. Dès lors, le meurtrier d'Antoine Fenioux pouvait se débarrasser de Judith car il n'aurait plus besoin de se procurer les clés du laboratoire pour s'y rendre la nuit afin d'y photographier les papiers de M. Montanay. Il assassina Judith en tentant de me mettre le crime sur le dos.

Nul ne bougeait dans le salon mais je devinais la panique qui, au fur et à mesure que je parlais, au fur et à mesure que mon raisonnement l'acculait, s'emparait de l'esprit de Madeleine. Une immense pitié me soulevait mais il m'était impossible de reculer maintenant. Je sentais que derrière moi, Leonev, Moriss, Stepanic, Larcat ne perdaient pas un mot de mon exposé. Je repris :

— L'espion qui voulait absolument être maître de ses mouvements pour mener à bien ses ultimes tractations, m'écrivit pour me donner rendez-vous, dans la nuit, à l'angle de la rue Thézard et du boulevard François-Albert. J'y allai. Il me tira dessus et ma chance voulut que j'en fusse quitte pour une égratignure. Mon adversaire prenait peur.

Puis, on me signala de Paris que l'acheteur des papiers du professeur Montanay se préparait à gagner Poitiers. C'était une vieille connaissance que le cher Leonev. Je n'eus qu'à le pister à sa descente du train, le suivre à son hôtel, m'embusquer dans la chambre qui jouxtait la sienne et attendre que le vendeur vienne lui apporter son butin. Je l'entendis appeler son correspondant qui se montra quelques instants plus tard et, c'est de cette façon que je vous ai vue, madame Montanay.

Le plus étonné de tous parut être l'inspecteur Reynès qui murmura :

— Ça alors...

Avant que Madeleine n'ait protesté, je déclarai :

— Pour vous éviter l'humiliation de dénégations inutiles, madame, je vais vous confronter avec votre acheteur... Leonev ?

— Voilà !

L'apatride se montra, à peine gêné.

— Faites votre boulot, Leonev.

— D'accord... Madame Montanay, je suis au regret mais les choses ont mal tourné... Je ne pouvais pas prévoir et je suis tout aussi coincé que vous, sauf qu'il y a ces deux crimes auxquels je préférerais ne pas être mêlé... Il faut reconnaître que vous y avez été un peu fort...

Il en rajoutait trop et j'ouvrais la bouche pour lui ordonner de se taire, lorsque je me rendis compte qu'il ne s'adressait pas à Madeleine ! Je me levai et lui pris le bras :

— Leonev... à qui parlez-vous ?

— Mais... à Madeleine Montanay... là.

Et il me désigna Colette !

Ce qui s'est passé après, il m'a fallu du temps pour le réaliser. Nous étions tous tellement stupéfaits, tellement décontenancés que nous ne bougions pas. Quant à Madeleine, le visage ravagé, elle fixait sa sœur, répétant automatiquement :

— Toi... toi... toi... toi... toi...

Alors, Colette s'est dressée, mais une Colette que

186

je ne connaissais pas, que personne sans doute ne connaissait et qui, au bord de l'hystérie, hurlait injures, menaces et excuses.

— Oui, moi! moi qui en ai assez d'être la petite sœur qu'on couve! La petite sœur pour qui on se sacrifie, la petite sœur qui doit être reconnaissante à tout le monde du pain qu'elle mange, du toit qui l'abrite et d'étouffer dans votre ville! Je voulais partir! mais comment partir quand on n'a pas d'argent? Alors j'ai rencontré cet homme — à son tour, du menton, elle montra Leonev — qui m'a offert beaucoup d'argent pour les papiers de Pierre. J'ai accepté. J'ai convaincu Jacques de m'aider s'il voulait que je l'épouse.

A ce moment, Madeleine dit :

— Et tu as tué Antoine et Judith...

— Non, c'est Jacques...

A ces mots Larcat se jeta dans le salon, le revolver au poing

— Vous ne m'arrêterez pas! vous ne l'arrêterez pas!

Mais Stepanic bondit sur Larcat, l'écrasa au sol et commença à lui marteler furieusement la figure. Il le mit en piteux état avant que les policiers n'interviennent. Reynès se manifesta à son tour. Il s'approcha de la jeune fille.

— Au nom de la loi, Colette Varchant, je vous arrête pour complicité de meurtre sur la personne d'Antoine et de Judith Fenioux, pour complicité de tentative de meurtre sur la personne de Guillaume Norrey, ici présent.

Colette ne put se retenir de crier :

— Ah! celui-là! Si Jacques n'aimait pas tellement les chats, nous l'aurions eu dans la rue des Quatre-Cyprès!

Leonev, qui ne tenait pas du tout à s'éterniser à Poitiers, avait pris le train de Paris de 20 h 23. Je finissais de dîner avec les Bussonnet. Je leur avais raconté l'incroyable scène qui s'était déroulée chez les Montanay. Olga conclut :

— C'est un monstre, cette Colette...

— Oui, un monstre... Elle a sciemment dirigé mes soupçons sur sa sœur... C'est elle, bien sûr, qui écrivit le billet me donnant rendez-vous... C'est Larcat et non Madeleine qui était parti à l'entracte... et naturellement, Madeleine n'a jamais joué de sa vie... Enfin, Colette a pris le manteau de sa sœur pour venir voir Leonev auprès de qui elle se faisait passer pour la femme du professeur.

Olga en avait les larmes aux yeux. Elle ne concevait pas qu'il pût exister des êtres de cette sorte. Quant à Robert, il me demanda :

— Somme toute, tu es plutôt content ?

— Content ?

— Dame, tu as rempli ta mission et ta Madeleine est innocente !

Le lendemain, vers le milieu de la matinée, je pris congé de mes amis Bussonnet auxquels j'interdis de m'accompagner à la gare. Ils souhaitèrent me revoir bientôt et dans des circonstances moins dramatiques. Nous prîmes rendez-vous aux vendanges. Sur le quai, au moment où je m'apprêtais à monter dans un wagon, je m'entendis appeler. Je me retournai. Madeleine courait vers moi. Sans nous préoccuper des curieux je la pris dans mes bras.

— Vous partez, Guillaume ?

— Vous seule auriez pu me retenir...

— Ce n'est pas possible... Je n'ai pas le droit d'abandonner Pierre maintenant... mais je t'aime, Guillaume et je n'aimerai jamais que toi ; et puis j'ai si longtemps veillé sur Colette et si mal... que je me sens un peu responsable, il faut que je l'aide à gravir son calvaire... dans la mesure de mes moyens. Guillaume, je suis heureuse de savoir que tu ne m'as pas oubliée... que tu ne m'oublieras jamais, n'est-ce pas ?

— Jamais.

— La vie est bête, mon chéri... si bête !

On nous cria de monter en voiture et de fermer les portières. Je me détachai de Madeleine au visage ruisselant de larmes. Je grimpai dans le wagon. Le train s'ébranla. Par la fenêtre baissée, je la regardais, ne trouvant rien à dire. Elle courait le long du convoi, gémissant :

— Guillaume... Guillaume... Guillaume... Guillaume !

Le train prit de la vitesse, Madeleine s'arrêta et leva les bras dans un geste d'impuissance désespérée. Ma dernière image d'elle.

Les femmes ne savent pas se contrôler. Elles donnent libre cours à leur chagrin où qu'elles se trouvent parce que plus rien n'existe en dehors de leur peine. Moi, j'ai attendu d'être seul dans un coin du train qui m'emportait loin de Madeleine, pour pouvoir pleurer à mon aise, sans témoin.

Dans Le Livre de Poche policier

Extraits du catalogue

Le Livre de Poche/Thrillers

(Extrait du catalogue)

IMPRIMÉ EN FRANCE PAR BRODARD ET TAUPIN
Usine de La Flèche (Sarthe).
LIBRAIRIE GÉNÉRALE FRANÇAISE - 6, rue Pierre-Sarrazin - 75006 Paris.

ISBN : 2 - 253 - 05471 - 2   ✥ 30/6877/2